Homme de théâtre et romancier, humaniste et engagé, **Olivier Bordaçarre** est l'auteur de plusieurs romans salués par la critique. Sa plume musicale, teintée de noir, épingle nos petites misères et nos grandes lâchetés avec finesse, humour, et parfois cruauté. *La France tranquille*, son premier polar, est d'une actualité brûlante. Il résonne plus que jamais.

Du même auteur, chez d'autres éditeurs :

Géométrie variable, Fayard, 2006.
Protégeons les hérissons, avec Damien Daufresne, La Diseuse, 2007 ; Antidata, 2014.
Régime sec, Fayard, 2008.
La France tranquille, Fayard, 2011.
Un festin nu, Tarabuste, 2011.
Dernier désir, Fayard, 2014 ; Livre de Poche, 2015.
Accidents, Phébus, 2016.

Chez Milady Thriller, en poche :

La France tranquille

www.milady.fr

Olivier Bordaçarre

La France tranquille

Fayard

Milady est un label des éditions Bragelonne

La collection Milady Thriller est dirigée par Lilas Seewald

ISBN : 978-2-8112-1887-4

Bragelonne – Milady
60-62, rue d'Hauteville – 75010 Paris

E-mail : info@milady.fr
Site Internet : www.milady.fr

À Véro
À Olivier Gilardin

« La peur est une mort de chaque instant. »

Emil Cioran,
Des larmes et des saints (1937)

Par la fêlure d'une canalisation ruinée suintait une bouillasse de rouille froide qui lui dégoulinait sur la nuque. Son crâne pendait mollement, menton rentré. Sa frange en bataille, un rideau délavé. Des larmes de sang se détachaient de l'extrémité de son nez fracassé, une rouge pour deux croches imbibant en rythme le coton de sa marinière jaune, élargissant à l'impact l'auréole luisante qui lui poissait le ventre. Un épais bâillon de scotch d'emballage lui soustrayait un tiers du visage. Bras relevés en croix, poignets strictement ligotés au tuyau, jambes écartées et pieds en dedans, son corps inanimé dessinait dans la pénombre des vestiaires la silhouette christique d'une jeune femme amochée.

La main gauche plaquée sur le mur décrépi, l'homme tentait de contenir une mixture envahissante de panique et de vertiges, et lardait de coups de pied nerveux une des cuisses de sa proie inerte. Mâchoires serrées, il répétait comme pour lui-même, d'une voix maquillée de sang-froid :

— Tu vas te réveiller, espèce de pute bronzée !

Mais la jeune femme ignorait les ordres.

L'homme abandonna sa position faussement désinvolte pour quelques pas impatients dans la poussière et les débris plâtreux du plafond. Autour de lui se désagrégeaient les vestiges moites de la piscine municipale. Paniers fendus éparpillés au sol, bracelets numérotés, caisse enregistreuse et distributeur de friandises désossés, panneaux d'informations descellés, néons crevés.

L'homme et la femme, couple au bord du vide et de la stupeur, faisaient figure de fantômes dans ce décor de fin du monde. Ça puait encore le chlore sous les moisissures et l'urine des chats errants.

— Crois pas que je vais tomber dans ton piège, là... ton cinoche... Connasse ! Tu vas bien profiter, tu vas voir... salopes dans ton genre... Tu vois, si je me retenais pas... je te pisserais dessus..., grinça-t-il en pressant le poing gauche contre ses incisives.

Il déambula dans l'espace du chantier interdit au public, pauvrement éclairé par deux Velux d'où tombait la lueur blafarde du dernier réverbère de la ville.

— On est bien, là... tranquilles... Qui viendrait sauter à 2 heures du matin dans le bassin vidangé ? Maintenant, c'est au centre aqualudique de mes couilles qu'on passe ses journées à bronzer, hein ? Pourtant, la petite piscine à l'ancienne, ça avait son charme... La gentille dame donnait un panier vide, on le rendait plein... Tu te rappelles ? T'entends ?

Dans un renfoncement, sous un amas de planches et de ceintures à flotteurs rouges et jaunes rongés par les locataires des décombres, il dénicha un seau rempli d'eau croupie.

— Et un seau de flotte dans la gueule, ça te réveille ?

Il s'exécuta. Plongée dans l'inconscience depuis le coup qu'elle avait reçu en pleine face, la jeune femme émergea instantanément de sa léthargie, comme en apnée limite, avec une inspiration aussi douloureuse que profonde. Ses lèvres soudées, comprimées par le bâillon, n'offraient aucun passage au lourd caillot que son organisme voulait expulser. Sentant qu'il prenait la voie des sinus, elle posa un regard d'effroi sur la figure crispée de son bourreau. Prières et cris silencieux, raclements de gorge. Elle éjecta le caillot par les narines et respira moins péniblement.

Grand, mince, le cheveu ras grisonnant, un air de Venantino Venantini dans *L'Extase et l'Agonie* de Carol Reed, l'homme feignait d'ignorer la sueur qui lui coulait aux tempes. En survêtement noir doublé et blouson de Gore-Tex, il piétinait dans ses bottines italiennes devant sa victime effrayée, suppliante. L'imminence de la fin du parcours leur donnait la chiasse à tous les deux.

Il pensa : *Faut que je maîtrise… sinon, elle va se foutre de moi et je vais la buter trop vite… Je fais les choses doucement, moi, jusqu'au bout… Je travaille consciencieusement… sérieusement. C'est tout. Allez…*

Il reprit sa déambulation, errant dans le désert froid de ses problématiques : faire respecter les règles élémentaires en bon ouvrier infatigable, crédible et persuasif, mesurer ses gestes, se montrer ferme, précis, efficace. Irréprochable.

D'une table renversée il saisit l'un des pieds, qui résista malgré l'humidité. Des deux mains, il fit levier sur son genou, un rictus navrant déformant sa bouche. En se fendillant à la jointure du plateau, le bois libéra des éclisses aiguës et rompit d'un coup. L'homme revint vers la jeune femme trempée.

Il s'immobilisa face à elle, les jambes légèrement écartées. Son gourdin sautillait dans sa main gauche avec des claquements secs. C'est dans cette position, avec ces mouvements-là, ce regard-là et ce sourire artificiel, ce corps tout en cliché de série B, qu'il se pensait le plus crédible, persuasif.

— Tu t'es bien foutue du monde, hein ? Les nichons à l'air et les pieds dans l'eau ! Et tu t'étonnes de tomber sur un os !

Le cœur de la jeune femme se convulsait dans sa cage comme un chat giflé. Le fil de fer entortillé autour du tuyau et de ses poignets maigres lui cisaillait la chair. Elle disait « non » de la tête. « Non, non, je vous jure que non… » Une baffe monumentale stoppa net ses sourdes supplications. Elle pleurait.

— Ta gueule ! Je veux rien entendre, sale pute ! siffla-t-il en grimaçant.

Penché sur elle, il pointa le pied de table à l'endroit du cœur, et des échardes mauvaises pénétrèrent dans le sein tendre. La jeune femme réprima ses gémissements. Des larmes coulèrent encore de ses paupières resserrées.

— Rien du tout ! Même sans le scotch tu pourrais gueuler, personne t'entendrait. C'est plus la ville, ici. C'est nulle part. Personne que moi et toi.

Il tremblait. Ses mains, ses bras, ses épaules étaient secoués des spasmes discrets de l'angoisse contenue. Des frissons aussi, partout, et la sueur. Ne serait-il donc jamais guéri de cette appréhension ? Malgré de minutieux préparatifs, il ne pouvait rien, au moment de conclure, contre ses affects et leur imprévisibilité. Il pouvait anticiper l'action, pas ses réactions.

Les yeux brasillants de sa proie accentuaient son trouble. Fébrile, il s'éloigna et disparut derrière une rangée de paniers rouges suspendus aux tringles. Là, réprimant une danse ridicule d'un pied sur l'autre, il reprit son soliloque.

— J'étais chasseur de lézards… Je les clouais sur une planche, je les ouvrais pour voir dedans… Tous les gosses ont fait ça… Logique… Tu vas payer, maintenant. Finie, la bronzette !

La fille parcourut les lieux d'un regard épouvanté : Velux, portes dégondées, ciel noir. Ses espoirs faiblissaient.

L'homme quitta l'ombre des vestiaires pour le hall, jeta un œil à l'extérieur et sortit en direction de sa petite berline pétrole. Nuit lourde et froide de flocons pâteux réduits en flaques. Pénombre accablante d'un hiver sans fond. Silence de plomb.

Au supplice, la fille profita de cette absence pour tirer sur ses poignets. Creusant encore ses blessures, elle tenta d'atteindre les tortillons de métal, d'un côté, de l'autre… Impossible. Avec un pied, peut-être ? Oui, peut-être. Tendre la jambe vers la main, là haut, si loin. Muscles antérieurs de la cuisse à deux doigts de céder, mollet tétanisé, la pointe qui effleure le fil… Désentortiller les deux sections qui forment le V de la victoire au bout de la torsade : saisir, tourner, pousser l'une sans bouger l'autre, pousser l'autre… Saloperie ! Allez, retirer sa chaussure, se servir de ses orteils. Relever la jambe, caler son genou sous l'aisselle, s'étirer au maximum. Ça y est presque ! Son pouce touche le fil, mais soudain c'est la crampe, insoutenable. Relâcher, détendre, recommencer. Pousser, dévisser le V d'un quart de tour, souffler, ouvrir grands les yeux, s'agacer même, car c'est possible : il faudra du temps, ce sera épuisant, mais c'est possible. De vivre. Et le temps gicle, transperce et fuit, javelot insaisissable.

— On se met à l'aise ?

L'homme est réapparu, une seringue dans une main, une bombe de peinture dans l'autre, et désigne la chaussure vide.

Il s'approche. Tout près. Fait passer la seringue devant ses yeux.

— Acide chlorhydrique, pour l'entretien des piscines. Ça te rappellera la baignade. En injection dans la carotide, c'est réglé en cinq minutes. Un avantage pour toi, si tu veux mon avis. Et ça, dit-il en montrant la bombe, c'est pour la littérature.

En deux pressions sur la brique au-dessus d'elle, il appose sa griffe.

— Regarde ce que j'ai écrit pour toi, chuchote-t-il d'un air mauvais.

Mais les yeux de la jeune femme sont irrésistiblement attirés par la seringue.

Il range la bombe dans la poche ventrale de son blouson. L'aboutissement de cette nouvelle étape est proche. Il retire doucement le capuchon de protection, examine l'aiguille et, muet et froid, métamorphosé par le caractère définitif de son acte, gifle la fille, qui tourne presque de l'œil. Il s'agenouille lourdement sur ses cuisses, coince son corps contre le radiateur, l'immobilise et, la renversant en arrière afin d'offrir à la pointe sa carotide palpitante, sans rien dire, mécanique et distant, approche l'aiguille de sa cible.

C'est alors qu'une détonation fait vibrer les dernières vitres de la piscine municipale. Et qu'un cri retentit.

1er septembre

Derrière ses portes à judas comme autant de vigiles cyclopes, Nogent-les-Chartreux dormait d'un sommeil épais, sans rêve, ses artères ne pompant de la nuit que le silence suspect des déserts sécurisés. La vie s'était repliée vers les appartements coquets des ruelles historiques, puis, en cercles concentriques, vers les immeubles, les quartiers pavillonnaires, les tours de la cité du Bas, les maisons aux volets clos le long du canal et les dernières fermes vétustes des paysans rescapés.

On s'était rincé l'œil au divertissement télévisuel du samedi soir à quatre-vingt-dix-huit pour cent de matière grasse – les miraculeux deux pour cent de matière grise résiduels étant l'œuvre de l'ultime fragment d'humanité des « stars » invitées : chanteurs *has been* tartinant les écrans plats de leur bêtise et mannequins douteux, la peau plus tendue qu'une baudruche, échouant à faire croire à leur retour sur scène. Le présentateur vedette s'était une fois de plus déshonoré à coups de galéjades d'avant-guerre : le vichysme des chiens de garde est immortel. Mais le somnifère cathodique avait fait son effet et la ville en écrasait ferme derrière le triple vitrage. Portes blindées, alarmes, caméras de surveillance et patrouilles de gendarmes somnolents veillaient à la tranquillité du *vulgum pecus*.

Une pluie fine et acide arrosait chichement les potagers de la périphérie. Une délicatesse prolétarienne suintait de cette glèbe où, dès l'aube, des retraités insomniaques désherbaient les fraisiers. À quatre-vingts ans, on s'y sentait mieux qu'à la ville et, pour la pause de 10 h 30, sous la tôle ondulée de la baraque à outils, sur des sièges fatigués, on se tapait un canon entre amis. À peine plus loin, les enseignes géantes de la grande distribution dilapidaient les kilowatts de la communauté, non pour en égayer la nuit, mais pour rappeler, jour après jour, l'ordre fatal de la laideur.

En centre-ville, place Poincaré, les lueurs bleuâtres des banques s'effilochaient dans les flaques, au pied de platanes jaunes exhibant leurs moignons. Cette manie de tout couper ; le souci esthétique avait bon dos. En élaguant, on ordonnait, on amoindrissait, on uniformisait. Que rien ne dépasse, ne s'évase ou ne s'évade, ne prenne de la hauteur, ne se distingue ou ne pousse à son rythme. Au jour, sur cette place principale, point névralgique des activités communales, centre des attentes, des errances et des fuites vers le sandwich du midi, la ville dispatchait son énergie molle. Les jeunes s'y rassemblaient par grappes pour cloper peinards et jouer au portable, loin des établissements bétonnés où on leur inculquait l'art du par-cœur et l'esprit de compétition. Le samedi, les anciens y trompaient leur ennui au marché, entre une botte de radis et une blouse à fleurs, se reposaient l'arthrose sur un banc du square des Fusillés et, pour les plus délurés, clôturaient la matinée au *Relais des Chasseurs*, chez Bertrand Caperet, le cafetier boute-en-train.

C'était une ville comme ça, calme, anonyme, sans attrait, silencieuse malgré les haut-parleurs en boîte de conserve accrochés aux façades, qui diffusaient du disco pendant les quinzaines commerciales. Peu d'envie, peu de poésie, hormis celle du désespoir qu'un quart de la population tentait de masquer en léchant les vitrines sans jamais quitter le trottoir. Une ville de l'Occident prétentiard.

La dernière semaine d'août s'était enroulée sur elle-même, sans ardeur. Les vacances terminées, la minorité nogentaise aisée avait rangé les valises au grenier, bourré les cartables de cahiers et de stylos, pris de grandes résolutions : régime, économies, inscription des moutards à la danse en tutu. La majorité fauchée s'était quant à elle contentée de revisiter une énième fois les maigres curiosités touristiques du coin, dans l'espoir de repousser à chaque pas le retour du carnaval : réveille-matin, horaires, cantine et épluchage des offres d'emploi. Ennui.

À la première réunion de l'Association des commerçants du quartier Mutin (Acqmu), on avait évoqué sans détour la reprise des activités et des difficultés. À mois d'août pourri, année pourrie. La crise durerait encore deux ou trois ans – « Déjà que ça fait trente ans qu'ils nous la servent, va bien falloir que ça pète un jour ou l'autre ! » avait lancé Bertrand Caperet, heureux propriétaire d'une Mercedes classe GL 320 CDI qu'il bichonnait tous les dimanches. En bon leader de l'association, Michel Régot, le marchand de jouets, avait tenté de minimiser les inquiétudes : on allait faire un effort pour le marché de Noël, réfléchir à des offres alléchantes, feindre de baisser les prix. Ce commerçant dynamique, plein d'allant et d'initiative, aimait sa commune, son petit côté vieillot-ringard, le charme discret de sa bourgeoisie très XIXe, son cœur de ville moyenâgeux, son potentiel touristique, sa situation géographique. Hervé Coquerot, le vendeur de cuisinières, avait aussitôt proposé des soldes sauvages à de très courtes périodes. À l'Acqmu, on voulait sauver sa peau.

*

Malgré l'heure tardive, une faible lumière mouvante et verdâtre s'évacuait par la fenêtre d'un logement de fonction de la gendarmerie, avenue de la République. L'ampoule du jardin d'accueil étant grillée, les gigotements télévisuels s'exprimaient plus nettement à travers les carreaux sales. Dans son deux-pièces-cuisine tout confort meublé discount, enlisé dans son canapé beige aux accoudoirs dépiautés, Paul Garand, tricot de corps jaune macaroni et patins informes, entamait sa deuxième pizza napolitaine face à l'écran plat de ses nuits blanches. Septembre, samedi soir, 0 h 50 : ses mâchoires ruminaient sous ses paupières plombées. D'une voix nasillarde en sourdine, casquette kaki sur l'occiput, épuisette à l'épaule, un carpiste télégénique dissertait doctement sur les hautes propriétés de l'appât Géni'Amorce, « l'appât qui ne trahit pas ».

À la tête d'une brigade de cinquante gendarmes en charge de missions de maintien de l'ordre et de sécurisation, de police judiciaire et de secours aux personnes, le commandant Paul Garand aimait à laisser s'écouler ses dimanches de repos au bord de l'eau, d'avril à octobre, les bottes coincées dans la vase de l'étang de la Benette. Là, il se sentait humain, parmi les poissons. Tout seul peut-être, mais peinard. Le reste du temps, il traînait la patte au bord de son histoire. Comme en attente, sur le bas-côté, en spectateur passif de sa vie qui s'éloignait au ralenti. Pas l'ombre d'un précipice pourtant, devant lui, cette radicalité ne lui ressemblait pas, mais Paul Garand était un homme parvenu au bout de quelque chose… du rouleau, peut-être, de sa morne carrière qui lui avait fait connaître tout ce qu'un gendarme de province peut vivre – du quadrillage de fêtes foraines aux corps démembrés des accidentés de la route, de l'arrestation du chasseur aviné menaçant son épouse de sa chevrotine au meurtre jamais élucidé de deux vieillards égorgés dans leur salon… Tous ces petits points noirs sur le visage mélancolique de Nogent-les-Chartreux, vingt mille âmes, au beau milieu d'un désert de céréales.

Nogentais depuis une trentaine d'années, Paul Garand végétait dans son logement de fonction et de célibataire endurci. Quelques objets épars délivraient des indices sur sa vie passée : un sac à main de cuir pendu à une patère dans l'entrée, une photographie de son fils en maillot de bain sur la table de chevet, une tour Eiffel entre deux livres sur une étagère du salon. Garand était au bout de ses espérances, de ses ambitions, de ses appétits. Alors il mangeait, et il était énorme. Aussi volumineux que tous ces pauvres désabusés qui traînaient leur brioche au McDonald's du nord-est de la ville, derrière le cimetière, pour s'y empiffrer jusqu'à la nausée en se plaignant du service pendant que les mômes, obèses à six ans, glissaient sur les toboggans rouge et bleu du loisir à deux balles – ensuite on passait en famille au centre commercial, pour traquer à quatre pattes les prix les plus bas et s'engueuler dans les allées multicolores en poussant son chariot bourré d'offres spéciales.

Quelque chose s'était déglingué. Les habitants ne riaient plus. Ça gueulait partout et pour tout, dans les magasins, les rues, les écoles. Ça sentait la crasse et la haine prête à jaillir. En dépit de son aspect bon enfant, Nogent avait un flingue sous la caisse. Chargé. Mais ce n'était pas à Paul Garand d'inciter à la révolte. Déontologie oblige. Et l'envie lui en manquait, maintenant. Flic et solitaire malgré lui, à deux doigts de la dépression caractérisée, soupe au lait et susceptible, il suivait les enquêtes plus qu'il ne les menait.

Outre sa deuxième pizza et un énième litre de soda (son cerveau n'avait jamais émis le moindre désir d'alcool, drogue dure quoique légale), il venait d'entamer sa cinquante et unième année d'existence, la vingt-huitième au sein de la compagnie départementale de Nogent. Divorcé depuis dix ans de Nadine Garand née Tudouic, une Bretonne exilée dans la Beauce avec qui il entretenait pourtant une correspondance téléphonique quasi quotidienne – bribes d'une histoire sans fin tissée de remords, de nostalgies et de repentirs, mais aussi de silences et de non-dits –, Garand était le père de leur fils Grégory, un grand échalas de vingt-cinq piges pas vraiment roux ni beau qui cultivait une nonchalance d'intellectuel modeste en vrai charmeur discret, vendeur d'articles de sport et doué d'un franglais truffé de contractions linguistiques qui foutait son père hors de lui. Paul et Grégory, pudiques, s'aimaient comme deux êtres qui cherchent désespérément à se comprendre sans pouvoir s'engueuler pour de bon. Malgré ses sentiments, Garand n'avait jamais réussi à dire « Je t'aime » à son gamin. Le parangon de la relation père-fils à l'ancienne. Seul depuis une expérience malheureuse, Grégory Garand coulait des jours qu'on ne pouvait qualifier ni d'heureux ni de monotones entre ses rayons de godasses fluo, sa lunette astronomique et les œuvres complètes d'un groupe de pop mythique (plus d'un milliard de disques vendus). Un jeune homme entre ciel et terre, rêve et réalité, vie active et voyages musico-stellaires.

La familiale aux anchois engloutie, les paupières du commandant s'abaissèrent, plus lourdes que le rideau de fer de la caserne, et l'imposant gendarme se mit à ronfler comme un diesel en fin de course sur ce qui lui servait communément de lit. Les gaules étaient prêtes, les lignes enroulées, les asticots au frigo et le réveil, réglé sur 6 heures, n'avait plus qu'à attendre l'aube. Seule la pêche dominicale pouvait justifier qu'on se lève dès potron-minet.

*

Il était 4 h 21 à la quartz du capitaine Jordan Dumollet – un bon élément, apprécié de ses collègues et de sa hiérarchie, serviable au point d'être servile mais plutôt efficace, précocement dégarni et moustachu, né à Nogent et, selon toute vraisemblance, destiné à y mourir, de vieillesse très certainement comme la plupart de ses concitoyens –, quand ce dernier se résolut à déranger son supérieur. La sonnerie du téléphone anéantit la quiétude de la nuit.

Abruti de sommeil, Garand tressauta du bide, chercha le réveil à tâtons, baragouina des insanités, souleva une paupière, fut ébloui par la luminosité d'un ciel bleu d'azur où il crut deviner le dessin triangulaire de volatiles en migration, et tenta de remuer ses cent dix-sept kilos de cholestérol en haïssant le monde entier. Et, tandis que l'appareil réitérait ses signaux d'appel, une voix grave et monocorde, genre Pierre Arditi, parfaitement adaptée à l'horaire, l'informa que « les oies cendrées du Canada parcourent jusqu'à quinze mille kilomètres d'une traite, portées par le vent, vers ces contrées arides où l'amour les attend ».

— Qu'est-ce qu… bordel… humpf…

C'était sur la table. Non. Si ! Sous le couvercle du carton Rapizz'. Le commandant se désembourba suffisamment pour envoyer valdinguer la boîte d'un revers et s'emparer du combiné.

— 'lô ?

— *Capitaine Dumollet, mon commandant…*

— T'fous d'ma gueule, Dumollet ? râla Garand, les yeux fermés, le corps réenclenché dans la position nuit.

Il l'aimait bien, ce Dumollet. Il n'avait pas inventé l'eau chaude ni le fil à couper le beurre, encore moins la poudre ou le moisi dans le roquefort, mais il avait dans l'œil une étincelle de sympathie qui ne lui avait pas échappé.

— *Non, mon commandant…*

— Y a ton syndicat qu'a été plastiqué ?

— *Non, mon commandant… Désolé de vous réveiller si tôt, mon commandant, mais on a un cadavre ! souffla le capitaine, depuis les lieux de la découverte.*

— Un cadavre… Un cadavre de quoi ? de vache ?

— *Non, un cadavre humain, mon commandant…*

— Ouais… ben… fous-le à la morgue et retourne au pieu…

— *Je m'escuse d'insister à cette heure, mon commandant, mais y a urgence, mon commandant. Il s'agirait peut-être d'un crime.*

Dumollet attendit une réponse, une réaction, un ordre. Il connaissait son chef et avait acquis, à la longue, un certain nombre de réflexes pavloviens. Après une mauvaise nouvelle : long silence ; après un week-end de garde : large sourire, suivi de « Pas trop fatigué, mon commandant ? » ; après un dimanche de pêche : « Alors, mon commandant, pas bredouille, j'espère ? » En l'occurrence, le silence de Jordan Dumollet fut très long, la mauvaise nouvelle s'étant tacitement accompagnée de l'annulation de la partie de pêche à laquelle notre gendarme s'était préparé avec minutie.

Paul Garand coupa le documentaire sur les palmipèdes sauvages, se passa la main gauche sur la figure et dans ses cheveux épars, se massa les yeux, le nez, la nuque, et respira à fond. Les wagons de ses pensées se rattachaient doucement les uns aux autres. *Un crime...*, se dit-il. *Faut bien qu'y en ait un de temps en temps, sinon on rentre pas dans les statistiques et ils suppriment des postes...*

—*Mon commandant?* reprit Dumollet, sur des œufs.

—Hmm...

—*Je sais que c'est rare, mais...*

—D'après qui ?

—*D'après qui quoi, mon commandant?*

—D'après qui y a crime, Dutalon ? réclama Garand, un ton plus haut.

—*Par rapport à ce qu'on a pu observer avec le capitaine Davier, mon commandant. Les techniciens vont arriver dans moins d'une heure avec le légiste, mon commandant.*

—Et pourquoi pas prévenir tout le gouvernement ? s'énerva Garand, qui détestait que la smala rapplique au moindre problème.

— *Ben, c'est la procédure, mon commandant… Et puis on voulait pas vous réveiller pour rien, mais là…*

— Oui, merci… pff…

— *C'est sûr que c'est un crime, mon commandant…*

— Alors pourquoi t'as dit « peut-être » ?

— *Parce qu'on attend votre avis et la confirmation, mais ça fait pas de doute, mon commandant. C'est un homme, il est à moitié brûlé des pieds jusqu'au ventre et il a le cou serré dans du fil de pêche. Il a été étranglé, mon commandant, à mon avis.*

— Calme-toi, Dugenou. Où qu'il est ?

— *Dans la dernière cabane de pêcheur, au bout du canal côté ouest, mon commandant.*

— Bon, je suis là dans une demi-heure.

— *Une demi-heure, mon commandant ?*

— Douche et café, j'ai droit ?

— *Oui, mon commandant.*

Le combiné réintégra son support noir.

— Me pompe l'air, çui-là, avec ses *mon commandant*, grogna Paul Garand.

Le véhicule de service quitta la gendarmerie vers 5 h 10 sous un crachin vicieux. Quelques travailleurs locaux, trop heureux de pouvoir encore pointer, même le dimanche, gagnaient leurs entreprises, celles qui avaient résisté à la concurrence libre et non faussée. Les banques, elles, pionçaient sur leur magot. À la sortie sud de la ville, les éboueurs préparaient leur tournée en avalant un café-carton, serrés dans leur combinaison gris et jaune.

Le volant de la Clio enfoncé dans son ventre proéminent, Garand se gara devant la boulangerie de la rue du 14-Juillet, s'extirpa de son pot de yaourt et frappa d'un index boudiné à la porte vitrée.

— Ben, commandant, qu'est-ce qui l'amène à c't'heure ? interrogea Marc Delive après avoir coupé l'alarme et déverrouillé la serrure du bas.

Le commerçant, la quarantaine bien tassée et la moustache fine un rien faux cul, avait les mains dans le pétrin depuis deux bonnes heures. La pénibilité au travail, fallait pas la lui faire. La pâte, la baguette, le pain de deux et la flûte, c'était son rayon. À la table familiale, il n'y avait que lui pour trancher le pain dans le bon sens avec des airs de « Ceci est mon corps, c'est moi qui coupe ». Quand on est un seigneur de la miche, on peut se rejouer la Cène deux fois par jour !

— Ah, j'te jure, c'est pas une heure pour le grabuge…, maugréa Garand.

— De quoi ?

— Pff, les gaules étaient prêtes, j'avais plus qu'à aller me poser sur mon pliant, quelle merde ! T'aurais pas deux ou trois croissants chauds, par hasard ? Les conneries dès l'aube et le ventre vide, ça m'bousille mes journées.

— J'vais y chercher ça, dit le boulanger, rassuré que des gens dévoués soient payés pour protéger ses biens. Voilà, commandant, j'y en ai mis quat', au cas où.

— Merci. Des Nogentais comme toi, y en a pas beaucoup, mentit Garand. J'te règle ça ce midi ?

— Bah, oui… Il verra avec la patronne. Mais, dites, c'est quoi, c't'histoire de grabuge ?

— Ah, ah, secret professionnel, cher monsieur ! Tu liras ça demain dans *La Beauce*. Des conneries… À la prochaine !

Le canal de Beauce, achevé en 1840 par l'ingénieur en chef des Ponts-et-Chaussées Joseph-Michel Dutens, traversait la ville d'est en ouest. Déclassé depuis les années cinquante, il ne servait plus qu'aux asticoteurs de gardons. L'eau avait noirci et s'était couverte d'algues gluantes, des culs de bouteille flottaient en surface. Nombre des pavillons qui bordaient le chemin de halage étaient en vente et la construction de certains autres avait été interrompue, les charpentes à nu prenaient la flotte. Qu'étaient devenus les ex-futurs propriétaires de ces bâtisses fantômes ? Endettés jusqu'au cou.

Ça faisait tout juste deux croissants au beurre que Paul Garand était au volant, quand il stoppa à hauteur de la baraque à pêcheur, huit cents mètres après les dernières habitations, à proximité de l'écluse de Neuilly et d'une maison de bric et de broc où des manouches sédentarisés vivotaient de récup', de ferraille et d'osier. Les faisceaux des torches policières virevoltaient comme des lucioles affolées. Le gendarme attaqua son troisième croissant avant de s'extraire, lent et blasé, du véhicule bleu marine.

— Par ici, mon commandant, le cadavre est là-dedans, dit le respectueux Dumollet en tenant la portière grande ouverte, afin que la tire accouchât du bonhomme dans des conditions optimales.

Puis il prit les devants.

— Hé ! Dugenou, pas si vite, éclaire-moi les godasses, que je voie où j'mets les pieds.

Dumollet revint sur ses pas et chuchota dans l'oreille de son supérieur, aussi près qu'il le put sans franchir la frontière du respect :

— Le légiste est déjà là…

— Oui, ben, chacun son boulot, capitaine Dumollet. T'as des réclamations à formuler ?

— Non, mon commandant, c'était juste comme ça...

Garand débuta la visite. Une bicoque en bois, dix mètres carrés, tout ce qu'il y avait de plus sommaire. Terre battue, tôle ondulée rouillée et percée, porte de service en contreplaqué, planche, tréteaux, tabouret formica, bouteilles, canettes, conserves vides sur des étagères métalliques, bidon noir à barbecue, calendrier Citroën spécial nichons. Très coquet.

Le corps sans vie d'un jeune gars méconnaissable gisait sur la caillasse pilée, adossé au mur de planches brutes, face à l'entrée, les jambes carbonisées. Les semelles de ses chaussures de sport s'étaient recroquevillées comme les écorces d'un vieux bouleau sous la plante noire de ses pieds. Une croûte de charbon refroidie s'était fendillée sur ses mollets et ses cuisses, laissant apparaître des parcelles de chair à vif. De ces cicatrices ouvertes comme de brefs aperçus de l'enfer suintait une graisse incolore au fumet terrifiant. Plusieurs tours de nylon gros calibre comprimant la glotte et la trachée avaient disparu dans les plis. Le tueur s'était visiblement retenu de séparer la tête du tronc. Le visage était presque aussi bleu que la Clio, tuméfié, boursouflé, les yeux rouges exorbités, la langue noire, gonflée, pendante ; des filets de sang avaient caillé en coulant du nez et des oreilles. Défiguré. Un Francis Bacon sculptural avec de vrais morceaux dedans.

Un technicien flashait la scène pendant que le légiste procédait à l'examen sous un gros quartz à batteries. Ça puait le cochon grillé, la terre visqueuse et la vieille écaille de poisson. La pluie piquante faisait tinter la tôle en sourdine. Le capitaine Davier éclairait l'ensemble d'une main, tentant de l'autre, plaquée sur sa bouche, de réprimer ses haut-le-cœur.

— Bonjour, lança le commandant en serrant le poignet du légiste ganté de latex. Davier, t'as qu'à sortir si t'aimes pas, ajouta-t-il, indulgent, à l'attention du nauséeux.

Lui non plus, il n'aimait pas ; un cadavre, c'est un peu de soi dans le futur.

— Bonjour, commandant. Docteur Moricet. Je viens rarement par chez vous, mais jamais pour des prunes ! C'était quand, la dernière fois, déjà ? Cette femme retrouvée noyée dans son bidet, non ?

— J'en sais rien… Putain, c'est dégueulasse…, fit Garand pour lui-même. Et vous, vous êtes ? demanda-t-il au photographe.

— Émeric Dumesnil, technicien de l'identification criminelle à l'Institut de Chartres.

Le Doisneau de la mort, un grand maigre à lunettes, se rebalançait sa mèche de blondinet d'un coup de tête toutes les dix secondes. C'était assez agaçant. Et son accent de celui qui a lu des livres, plutôt crispant. Garand détestait ce genre de culturcux mal dégrossi, réponsc à tout, bardé de références à la noix. *Foutue culture, ça se tartine comme des œufs de lump sur les canapés de l'ennui*, pensa le gendarme, métaphorique.

— Du-mesnil… Du-mollet… voilà une enquête qui s'annonce difficile, mais rondement menée par l'aristocratie locale ! Une viennoiserie ? Toute chaude…

— Sans façon, commandant. J'aimerais continuer mon travail, nasilla la jeune recrue en cherchant le bon angle pour une prise de vue simple et nette.

Ce type avait ce on ne sait quoi d'exaspérant dans sa manière d'esquiver les regards francs, d'être tout à son activité, concentré, submergé de questions relatives à l'image : cadrage, luminosité, expressivité, langage. C'était un pro comme Garand s'en était tapé des paquets, faisant déchanter les plus zélés serviteurs de la Nation, surtout ceux qui se prenaient pour autre chose que des flics.

— Dugenou, éclaire-moi bien la tronche du gars, que je voie qui c'est. Mouais… Toute façon, j'ai pas la mémoire des têtes, à cette heure… Alors ? demanda-t-il au légiste.

— Ce que je peux dire, c'est que le corps a été transporté. Il n'a pas été brûlé dans cette cabane, ni étranglé, d'ailleurs. Impossible pour l'instant de donner l'heure exacte du décès, mais ça doit remonter à cinq ou six heures. Température ambiante et rigidité. Je prélève deux ou trois échantillons de ce qui traîne et on va pouvoir y aller.

Paul Garand grignotait son dernier croissant en observant le *grand reporter* travailler. Dumesnil ne semblait ni surpris ni dégoûté par le spectacle que lui offraient les chairs mutilées. Le gars qui en a vu d'autres, flegmatique et déjà vieux. *Les mecs froids tendance inspecteur Harry, ça m'fait chier, c'est du flan, d'la frime. Il se croit dans un feuilleton, alors que nous, on va bosser comme des cons pour arriver à rien du tout… Quand même, il a un p'tit air à un des fils Bartavel, le trépassé…*, se disait le gendarme en mastiquant.

— Tu lui as pris la tronche de près, Dumesnil ? Faut du détail, hein ! C'est peut-être le président d'la République !

— Vous êtes optimiste, mon commandant, ironisa Dumollet en sourdine.

— Je suis justement là pour ça, commandant, les détails. Pardon…, fit le jeune homme en poussant Garand d'un index insolent pour enjamber le mort.

Le quintal de Garand frissonna de vexation.

— Je photographie ce qu'il y a à photographier, si vous n'y voyez pas d'inconvénient…, exagéra l'artiste.

— C'est bien. De la précision… qu'on s'y retrouve…

— L'Institut de recherche criminelle de la gendarmerie nationale ne me rémunère pas pour mon physique, mais pour mes compétences. Je connais mon travail, commandant.

— *Mon* commandant, bordel ! hurla Garand, qui n'en pouvait plus. OK ? Parce que j'connais la bleusaille dans ton genre qu'en fait rien qu'à sa tête. Non, mais oh ! Des stagiaires pleins de certitudes, j'en ai déformé des dizaines en trente ans de caserne, alors tu baisses d'un ton, p'tit lieutenant.

— Mais…

— Y a pas de mais, y en a jamais eu et y en aura jamais ! C'est pas parce que t'es nouveau au labo que tu vas nous faire chier avec ta science et tout le barnum de tes diplômes ! Non, mais tu te crois où ? Tes analyses socio-machin, tes conseils et j'sais pas quoi, tes p'tits regards en coin de constipé scolaire, tout ça, tu peux t'le rouler très serré et t'l'enfoncer ! Pigé ? C'est pas la grande ville, ici ! C'est nulle part ! Colle-toi bien ça dans ton crâne polytechnique. Y s'passe rien ici, ou pas grand-chose, et on n'a pas besoin d'un prof pour nous dire comment c'est qu'faut vivre ! Alors, si tu faisais tes photos aussi vite que j't'emmerde, tu serais déjà à ton labo sur ton ordino ! Par conséquent, tu magnes ton cul et tu libères la place !

— Je ferai un résumé détaillé de tout cela à ma hiérarchie, commandant.

À ces mots, les cent dix-sept kilos de Paul Garand fondirent sur Dumesnil et l'attrapèrent par le colback.

— Dis donc, l'étudiant, y a un truc qu'on t'a pas dit à l'école : c'est que la hiérarchie, les chefs, ils s'en branlent ! Et ici, le chef, c'est moi ! Alors tu prends tes cliques, tes claques, tes clic-clac, et dehors ! Et, dans ton rapport, n'oublie pas d'appuyer ma demande de retraite anticipée !

Éjecté de la cabane, Dumesnil traversa le chemin de halage à reculons jusqu'au bord du canal, où Davier le retint par la ceinture pour lui éviter la baignade.

— P'tit con, conclut Garand en se retournant vers le cadavre.

— Mon commandant, plaça Dumollet en fin connaisseur des envolées de son chef, peut être que vous y allez un peu fort, sauf votre respect…

— Oui, ben, t'as vu l'heure ? Je devrais être au bord de l'eau, moi, alors hein, bon…

— Donc… à part les traces de pneus sur le chemin, on n'a rien trouvé d'autre. Mais peut-être qu'il faudra revenir quand il fera jour.

— J'te l'fais pas dire, Dutalon. Les traces, comment elles sont ? fit Garand en sortant de la cabane.

— Larges, mon commandant, type 4x4.

— Ça nous avance ! Tout l'monde a un 4x4 dans ce bled ! Pourtant, c'est plat comme ma main ! Bon, vu qu'une moitié de brûlé étranglé ça n'arrive pas souvent dans les parages, on va faire les choses dans l'ordre. Je veux l'identité du macramé avant midi. Famille, copains, boulot, la totale. Étant donné qu'il n'est pas reconnaissable, vous m'envoyez les journaleux, ça leur évitera d'écrire des romans, chacun son boulot. Et vous, les techniciens, quand vous aurez fini de remplir les sacs en plastique, rubalise partout, bouclage de la zone, entrée interdite. Davier, tu restes là jusqu'à midi, on viendra te relever, ordonna Garand, suffisamment agressif pour ajouter : Ah, les p'tits bleus de la côte ouest qui me foutent en boule à 6 heures du mat', ça me plombe le dimanche ! S'ils veulent de l'enquête, va y avoir de l'enquête. Mais à mon rythme. Mollo, mollo ! Moricet, prévenez-moi quand vous aurez terminé de découper la viande, j'passerai pour le rapport. Bon, quelle heure qu'il est ?

— Six heures quarante-cinq, mon commandant, répondit illico Dumollet.

— T'auras fini d'éplucher les fichiers avant midi ?

— J'pense pas, mon commandant, et puis on va attendre le signalement d'une disparition, ça nous aidera peut-être pour l'identification...

— À mon avis, c'est un des fils Bartavel...

— Ah bon ?

— Pas sûr, mais... crâne dégarni, fringues pourries, cabane de pêcheur... T'as remarqué ses bagues, Dujarret ?

— Comme ça, mon comm...

— Ils ont tous des bagues à tête de mort dans la famille. Oh, c'est pas des méchants, une connerie d'temps en temps, juste de quoi s'faire connaître des services de police... Dans un bled comme le nôtre, ça va vite.

— Un règlement de compte, mon commandant ?

— Sais pas... Ça sent le calcul... trop. Celui qu'a fait ça est un taré. Cramer le gars, l'étrangler, le transporter... pas assez spontané pour une vengeance... quoique... Rien d'autre autour de la baraque ? Des objets, des signes, des graffiti ?

— Y a bien des graffiti un peu partout, mais à part ça j'ai rien vu, mon commandant.

— Tu veux pas arrêter de m'appeler *mon commandant* toutes les dix secondes, Dupoignet ?

— Je veux bien, mon commandant, mais, sauf votre respect, j'aimerais aussi beaucoup que vous m'appeliez Dumollet, simplement Dumollet, mon c...

— Ooh, c'est pour s'marrer, putain ! On se fait déjà assez chier comme ça, non ? Rigole, mon p'tit, sinon tu vas te tirer une balle !

— Oui, mais au comité...

— Dumollet, s'il te plaît, me prends pas le chou avec ton syndicat !

— C'est pas un syndicat, mon commandant, c'est une association avec un comité, un bureau et tout, et c'est pour la défense des droits des gendarmes..., déballa d'une traite le capitaine, du genre à faire signer des pétitions pour tout et n'importe quoi.

— Écoutez, capitaine Dumollet, fit Garand en ouvrant la portière de sa voiture. Je m'en fous. C'est clair ? Je me fous de tout. Là.

—...

— T'as ton appareil ?

— Affirmatif.

— Alors, tu m'prends cinquante photos intérieures, extérieures, alentour, ça m'évitera de repasser.

— À vos ordres.

— Je vais à la pause réglementaire. Quatorze heures au bureau. Salut, capitaine.

— Commandant.

3 septembre

Quelques heures suffirent pour confirmer l'identité de la victime : Guillaume Bartavel, trente et un ans, domicilié chez ses parents, allocataire d'une pension adulte handicapé pour cause de légère arriération mentale. Positionné du côté des gueux plus qu'en phase avec la bourgeoisie locale, Garand avait eu les yeux en face des trous, malgré son humeur maussade. Qui se souciait vraiment des Bartavel, dans cette bonne bourgade de Nogent-les-Chartreux ? Leur existence, leur mort, leur misère, comme celles de tous les loqueteux du coin, le Nogentais de souche s'en tamponnait le coquillard. Méprisés, détestés et donc surveillés, leurs déplacements, leurs mœurs, leur style de survie et leur moralité faisaient l'objet d'une attention constante, très active. Sous la dent de la méfiance, il y a toujours une place pour l'étranger.

La famille Bartavel, parents, grand-mère sourde et muette, fils, filles, chiens, chats, poules, vivotait dans la dernière maison de la sortie est de Nogent, après la zone industrielle, sur un terrain de cailloux en retrait de la civilisation, sans arbres, sans ombre, sans herbe. Le vent se cabrait continuellement contre les carreaux des fenêtres, y propulsant la pluie et la grêle. Ça grinçait, ça s'écaillait, ça s'infiltrait, ça se fissurait dans tous les coins. C'était à se demander comment ces murs rapiécés pouvaient rester solidaires. Quant aux toitures, tuiles et tôles ondulées, parabole Emmaüs, bâches de plastique bleu et plexiglas de récup' résistant aux bourrasques grâce à de lourdes pierres posées dessus, elles donnaient à l'ensemble un air pittoresque de bantoustan nordiste. Un foutoir innommable.

Sur le terrain vague où l'on entreposait les trouvailles, les plus grands des huit mômes bidouillaient des scooters un peu chouraves, désossaient puis remontaient des bagnoles invendables. Le père y réparait des machines à laver, des tronçonneuses, des tondeuses à gazon, et découpait des palettes pour le bois de chauffage. Les petites dernières, les jumelles, faisaient de la balançoire au-dessus de l'huile de vidange. Ça puait la crotte de chien et la sciure moisie, ça puait l'eau croupie des containers et les viscères des poules que maman Bartavel plumait, assise sur le tas de briques.

À l'intérieur, les corbeilles de linge débordaient, la vaisselle s'empilait, les gamins trébuchaient sur les gamelles de croquettes, les chaussures boueuses dégueulassaient les linos. Les travaux étaient en *stand by*: les fils électriques traversaient les plafonds et les murs d'une pièce à l'autre, de l'enduit brut recouvrait le ciment. Le poêle à bois crachotait, posé sur deux parpaings, et ça gueulait pour couvrir le vacarme de la télévision géante et de la sono à fond. Une fois par mois, on s'habillait nickel pour aller se gaver au McDo. Ce n'était pas loin, pas cher et coloré. La belle vie.

À Nogent, les Bartavel, on les avait en ligne de mire. Sur ce sujet, Bertrand Caperet, le distingué patron du *Relais des Chasseurs*, place Poincaré, était intarissable : « Ça pourrait cramer tous ensemble dans leur baraque de manouches que j'm'en foutrais comme de ma première vérole ! Pis qu'on vienne pas m'emmerder chez moi, passque j'ai c'qu'il faut, disait-il en pointant l'index vers l'endroit du bar où patientait son fusil chargé. C'est pas *que* pour le sanglier, moi j'vous l'dis ! J'hésiterai pas une seconde. C'est qui qui les a déjà vus travailler, ceux-là ? Personne ! Alors bon. » On entendait également dire dans les milieux élégants, le gratin de l'intelligentsia municipale : « Au sein des familles à problèmes, il y a toujours des problèmes. » Certes. Dans les journaux, on parlait de « terreau fertile de la délinquance, de la misère et de la marginalité ». N'est pas philosophe qui veut.

Les parents du défunt firent irruption dans les locaux de la gendarmerie le mardi matin. Pour l'occasion, le père Bartavel, un bonhomme d'un mètre cinquante, aussi sec qu'un phasme, la casquette écossaise vissée sur le crâne, s'était serré le cou dans une jolie cravate bleu ciel. Sa veste élimée, son pantalon de velours ocrasse et ses souliers fendus lui donnaient l'air perdu d'une cloche endimanchée. Silencieux, humble, servile à faire pleurer, sans l'ombre d'une mauvaise intention, le visage blême et les yeux chassieux, il s'était retiré à l'écart, sur une chaise de l'accueil, et se triturait les doigts entre ses genoux d'arthritique, honteux. Son épouse, Nicole Bartavel, une quinquagénaire à la chair débordante, alternait sanglots et gémissements en frappant de ses deux poings sur le comptoir. Sa tignasse filasse talonnait les mouvements désordonnés de son visage poudré et ses énormes seins s'écrabouillaient contre la planche de bois qui la séparait des galonnés.

Le major Berthomme et l'adjudante Prunier ne pouvaient pas en placer une.

—On en a p't'êt' pas assez bavé comme ça, hein, qu'y faut qu'on assassine mon fils? Quesse il a fait de mal? Mais demande-leur, toi, René, quesse on a fait au bon Dieu?

—Madame...

—J'veux voir le commandant!

« Madame Bartav... », voulut préciser l'adjudante Prunier, mais la goutte de sang avait fait déborder un vase déjà trop plein. La haine de toute une population, ses regards, ses rumeurs, Nicole Bartavel en était épuisée. Un Bartavel tombe toujours à point quand on n'a pas de bicot sous le coude. Qu'il ne vienne pas s'installer dans un quartier qui ne lui est pas tacitement réservé, le service d'accueil est toujours opérationnel. Le Bartavel basique est un être relégué aux confins de la cité, dans des cases prévues à cet effet. Il sort très peu du périmètre autorisé, il a son café-PMU, son square, son terrain de foot, sa moyenne surface hyperdiscount en bas de la tour, sa pharmacie, sa laverie automatique et son groupe scolaire. On lui a fait croire au bonheur de vivre dans un système qu'il faut aujourd'hui relancer parce que c'est la crise. Mais relancer quoi? Le marché du luxe? Il va très bien, merci.

—Où qu'il est, Garand? J'veux l'voir! On s'connaît. C'est qui qui va retrouver ceux qu'ont fait ça? C'est mon fils qu'est mort! L'avait rien fait d'mal, rien fait d'mal...

Le visage labouré de larmes et de morve, Nicole Bartavel s'agrippait à la planche vernie, le regard crocheté aux yeux des fonctionnaires impuissants.

— Z'avez vu comment qu'il est, à la morgue ? C'qu'ils y ont fait ? Dites ? On l'reconnaît presque pus, mon p'tit Guillaume… Il est mort torturé, mon Guillaume !

Elle ne tenait plus sur ses grosses jambes variqueuses, hurlait que tout le monde s'en foutait, que ce n'était pas possible qu'on s'en prenne encore à eux, et pourquoi, et ça voulait dire quoi « qu'on vient perquissionner chez nous, hier, comme si c'est nous qu'on l'a tué, not' Guillaume ! C'est toujours la même merde ! Dès qu'on est arrivés à Nogent, on nous a regardés d'travers, et toujours comme ça, comme des moins que rien, des délinquants, alors qu'on a jamais rien fait d'mal, que des bêtises de gamins, mais qu'on nous en veut d'être comme on est. C'est pas juste ! On est pas plus feignants qu'les autres ! »

À Nogent comme ailleurs, chacun son apartheid.

Nicole glissa, tomba à genoux, le front sur le carrelage, les mains agrafées à son chignon défait. René esquissa un geste, la lèvre inférieure pendante, les avant-bras tendus devant lui, paumes vers le ciel. Il ne trouvait pas la force de se lever.

L'adjudante Prunier n'attendit pas les ordres du major Berthomme pour contourner le comptoir et tenter de calmer la mère.

— Madame, s'il vous plaît, venez vous asseoir, là, sur cette chaise. Madame Bartavel, vous m'entendez ? Les autorités mettent tout en œuvre pour…

— Les autorités ! Quesse elles foutaient, l'aut' nuit, pour sauver mon fils ? Elles vont pas m'le rendre, les autorités, mon Guillaume, mon p'tit Guillaume… Mon Dieu…, suppliait-elle sans bouger d'un pouce.

Odile Prunier jeta un œil à Berthomme. À l'abri, le major attendait, professionnellement, que ça se tasse.

— Il revient à quelle heure, Garand ? demanda l'adjudante à son collègue.

— J'en sais rien. Il est à la mairie pour donner son sentiment sur l'emplacement des nouvelles caméras.

— Madame Bartavel, reprit l'adjudante, le commandant devrait revenir dans quelques minutes, si vous voulez bien l'attendre ici… Asseyez-vous sur cette chaise, je vous en prie, ne restez pas par terre… Vous désirez un verre d'eau, madame Bartavel ?

— Non !

— Vous ne voulez pas vous asseoir ?

— NON !

— Madame Bartavel, je vous prie de bien vouloir… Asseyez-vous sur cette chaise… allez…

Au moment où la diplomatique adjudante Prunier soulevait la pleureuse, Paul Garand entra dans la caserne. Il portait l'uniforme réglementaire, exception faite de sa cravate, qu'il ne parvenait plus à nouer, et de son képi, qu'il exécrait.

— Ah…, fit-il dans un soupir.

— Commandant…, commença Prunier.

— Je veux mon fils ! pleura Nicole Bartavel en se relevant.

— On se calme. S'il vous plaît. Venez dans mon bureau.

Assis face au commandant, les Bartavel avaient le visage exténué de deux suspects qui n'en peuvent plus de clamer leur innocence. Le trajet de chez eux à la gendarmerie s'était effectué à pied, sous les regards injurieux des Nogentais les plus propres. Mais Paul Garand connaissait bien la famille.

— Madame et monsieur Bartavel, aucune charge n'est retenue contre vous et je comprends votre douleur. On est sur le coup. L'enquête ne fait que commencer. Je vous demande de me faire confiance, pour une fois. La visite d'hier, c'était pour vérifier si Guillaume n'avait pas laissé quelque chose qui pourrait nous éclairer. Pour l'instant, je ne peux rien vous dire de plus. Si ce n'est que je suis désolé de ce qui est arrivé à votre fils.

— Ben voyons, l'enquête ! redémarra Nicole en contenant ses sanglots. Ça mène jamais à rien, tes enquêtes ! Les flics, ils sont pas connus pour c'qu'ils trouvent, ici ! Mon Guillaume, ça va faire pareil que la vieille Maurice de la rue du Pondy. On sait toujours pas comment qu'elle a clamsé ! Et l'gamin qui s'était fait attaquer à la sortie du gynase, ben, les enfoirés qui l'ont rendu extraplégique, ils courent toujours ! Alors ?

— Alors, ça sert à rien de rabâcher les mêmes trucs ! Y a des affaires non élucidées, voilà tout...

— Un paquet...

— Notre affaire, en tout cas, elle l'est pas encore, non élucidée !

— Tes gars qui sont venus à la maison, on leur z'y a tout dit ! Que Guillaume, il est parti à la pêche samedi matin avec son casse-croûte, et voilà.

— Vers où ?

— Ben, le Fusain, comme d'habitude...

— À pied ?

— Bah oui...

— Il avait des embrouilles, ces temps-ci ?

— Quelles embrouilles ? C'est lui l'plus gentil, l'plus honnête de la famille. C'est mon Guillaume, l'plus courageux !

— Il avait retrouvé du boulot après la cartonnerie ?

— Bah non, tiens !

— Cherchait pas tellement, se risqua René.

— Du boulot, y en a pas ! Tu vois ben qu'y a tout qui ferme à cause que c'est la crise ! gronda Nicole.

C'est que, sous ses airs de matrone abattue, elle était lucide, Nicole Bartavel. Inutile d'être prix Nobel d'économie pour constater, dans la zone industrielle par exemple, les dégâts d'un régime de fous. Ni d'être un militant des causes humanitaires pour respirer à pleins poumons le sang frais des miséreux sur les mains des dirigeants de la planète. Plutôt que de sauver les Bartavel, ceux qui avaient transformé le monde en déchetterie préféraient renflouer les banques.

— L'pognon, quand il est pas dans la poche des uns, l'est dans celle des aut'. Quand j'pense qu'ils nous font chier d'puis des années avec leur trou d'la Sécu ! Ben, mon vieux ! Que c'est toujours les mêmes qu'ont les poches pleines ! Guillaume, il nous ramenait la friture, c'est déjà ça.

— OK, OK, tempéra Garand. Apparemment, il s'est fait embarquer. Ou il a suivi quelqu'un et il est tombé dans un traquenard. Ce matin encore, des techniciens sont allés effectuer les derniers prélèvements. On est à fond sur le coup, répéta-t-il en dissimulant ses doutes.

Le bureau s'emplit d'un long silence épais. René examinait ses chaussures. Nicole fixait son interlocuteur des yeux.

— Alors, quesse on fait ? demanda-t-elle.

— Vous rentrez chez vous. Vous vous occupez des enfants. Et je vous tiens au courant dès que j'ai du nouveau. Allez, je vous raccompagne. Courage.

Le couple s'éloigna, traînant la galoche, René légèrement en retrait, Nicole la tête rentrée dans les épaules, sous une pluie aiguë et pénétrante. Le sourire de murène de Monique Delive, la boulangère, sur le pas de sa porte, lui allait comme un gant.

*

Paul Garand prit la direction inverse. Il marcha à petits pas jusqu'au coin de l'impasse de la République, puis traça vers le canal, sans illusion. Il croisa un petit clébard blanc avec une tache noire sur l'œil gauche, Pathé-Marconi pure race. La flotte se mêlait à sa sueur. Il était essoufflé et son estomac gargouillait. L'élégant Michel Régot sortait de la Maison de la Presse sous un parapluie à manche de buis. La poignée de main fut réglementaire.

— Commandant, ce n'est pas un jour pour s'éloigner du bureau ! Surtout avec ce qui vient de se passer.

— Je ne vous le fais pas dire, monsieur Régot. Malheureusement, je dois me rendre sur les lieux du crime qui défraie la chronique.

— Eh oui, votre fonction vous y oblige, n'est-ce pas ?

— Tout à fait, fit Garand, impatient. Et chez vous ?

— Ça se maintient. Votre fils ? demanda Régot, poli.

— Ça suit son cours.

— Sans indiscrétion, vous avez des indices, pour une fois ?

— Rien de très précis pour l'instant. Bien, je m'excuse, mais…

— Oui, pardon…

Les deux hommes se quittèrent, au grand soulagement du plus gros.

En parvenant à hauteur du cabanon, Garand constata, les chevilles en compote, que sa santé se détériorait. Il avait mal aux genoux et l'intérieur de ses cuisses le brûlait. Le ciel lui pissait dessus, ça lui rentrait dans les articulations et une poutre de chêne lui pesait sur les cervicales, mais il ne regrettait pas cette courte sortie, qui lui confirmait bien le bout du rouleau. Surtout qu'il venait de croiser Jean-Claude Pacis, l'adjoint à la tranquillité, dans sa belle Peugeot 607 Féline Titane 2,7 HDi bleu pétrole, et que le vieux beau n'avait daigné lui décrocher qu'un hochement de tête empoisonné.

Le cordon de sécurité avait été retiré le matin même, vers 10 heures. Les techniciens de la brigade de recherches avaient effectué leurs prélèvements. Terre, tissu, fil de nylon, sang, poils, cheveux, salive, croûte de chair brûlée. *L'ADN, ça sera celui du macchabée, point barre*, pensa le commandant. *L'ADN de Guillaume Bartavel, le monde entier s'en bat l'œil ! Pas la peine de faire comme si c'était un personnage important. D'la matière négligeable. Une chiure de mouche.*

À part une hargne rentrée, Garand ne sentait rien. Il avait faim. Et il était là, en plein jour, sur les lieux du crime, comme une grosse barrique. « SEXBLOG69 ». En jetant des regards superficiels sur la paroi couverte de graffiti, il sortit une barre chocolatée de la poche de son blouson et croqua dedans. « SOLANGE LA PUTE ».

Un reste d'affiche pour une soirée loto s'effilochait sur le sapin. Il aurait dû quitter ce boulot depuis longtemps. Mais il y avait eu Grégory. « NOGENT EN FORCE ! » Et pour faire quoi ? Dès le départ, ç'avait été ça ou chômeur. Formation rapide, stages, mutation à Nogent. Il y avait cru quelques années, était monté en grade au lieu de demeurer maréchal des logis-chef, puis il avait stagné, à tout point de vue. « LUCY COCOON ». Au départ de Nadine, ç'avait été la chute libre. Les rappels à l'ordre de sa hiérarchie s'étaient accumulés sur son bureau. Mais la hiérarchie, hein… « PÊCHEUR BOUFE TES BLOCH ». Il n'était pas fait pour ça, rester planté sous la pluie avec dans le dos une eau verdâtre qui ne menait plus aucune péniche nulle part, devant une cabane sombre, quatre planches clouées recouvertes d'un misérable chapelet de tags, une diarrhée de jeunes déjà vieux – franchement, qui était fait pour ça ? « SUGETO NIK LA POLICE ». Encore une journée de foutue.

Les indices, tu parles ! Il travaille avec des gants, le salaud… Pas une trace, rien… Les pneus ? Pff… On va aller analyser les trois mille 4x4 de la communauté d'communes, c'est ça… M' font marrer, les grands chefs, avec leurs barrages. Ils veulent des barrages partout pour épater la galerie… Pas de vagues, qu'ils disent… tout va bien, c'est un crime crapuleux… C'est pas crapuleux, moi j'dis, c'est raffiné, nuance… Y a de l'organisation, là-dessous… Et je le prouverai ! Un moins que rien qui crève, peu importe comment, ça soustrait du rien au néant. Du vide au vide. Les Bartavel du monde entier sont en voie de prolifération et, paradoxe, d'extinction. Pas de société protectrice pour ces bêtes-là… pas rentable. Pourtant, on fait en sorte que l'espèce ne s'éteigne pas totalement. Ne pas négliger les bénéfices de la peur. Au fond, qu'est-ce que ça peut foutre, qu'ils aient du sang manouche, les Bartavel ? Faut qu'ça saigne, voilà la vérité. Que ça s'entre-tue. Que ça s'dénonce. Que ça pourrisse, là-bas, dans leur pauvre cité enfouie sous les immondices. Les détenteurs de bons sentiments en feront leur beurre. Les vendeurs de papier, de cochonneries, de divertissement, y a plus que ça qui les excite. Ça cogne pas moins sur la bonne femme, ça se drogue pas moins dans les quartiers prospères… C'est moins visible, voilà tout. On y baise pas mieux. Et moi, gros con, gros con de flic, tout seul depuis dix ans… Oh, Nadine… depuis que tu t'es barrée… Ça rend méchant, tout ça. Bon, allez, j'retourne à la compagnie, sinon je me flingue. Béqueter mes raviolis, tiens. Comme un con dans sa cuisine. Ah, faut que j'invite Greg. Il va m'dire : « Non, plutôt la semaine prochaine », mais si je l'invite pas aujourd'hui, ça recule d'autant. Allez, je bouffe et j'téléphone à Nadine. Ou j'téléphone avant. Oui, avant, ça me mettra en appétit. Toute façon, y a rien à glander, ici. Et son connard de toubib, il est encore au cabinet à c't'heure, on aura le temps de causer. Elle, au moins, Nadine, elle comprend… Putain de pluie onze mois sur douze… Et le colonel Muscat qui va encore me dire : « Garand, on laisse couler doucement, hein, sinon c'est la psychose, vous savez bien. Je ne dis pas qu'il n'y a que du mauvais dans la psychose, mais c'est un peu prématuré. Alors, pédale douce, Garand. OK ? » C'est ça, oui… Bon, allez, Nadine et raviolis. Mais pas en boîte, hein ! Y a des limites !

Nadine Tudouic avait rencontré Jean-Pierre Bernardin, interne à l'hôpital de Chartres dans le service rhumatologie, à l'occasion d'un kyste synovial au coude gauche. Grégory avait quinze ans et le couple Garand battait de l'aile depuis longtemps. Le futur généraliste parisien tombait à pic.

Au rendez-vous suivant, Nadine lui sautait dessus. Le toubib ne s'était pas débattu. Il ne fallut à Nadine que quelques malheureuses petites semaines pour procéder au grand nettoyage de printemps : divorce, formalités, division des biens en deux parties égales, valises-cartons-sacs, emménagement dans l'appartement dudit Jean-Pierre, à Paris, XIIe arrondissement, métro Dugommier. Le six-pièces des parents. Un mois après l'installation de sa nouvelle compagne, le médecin clôturait ses études de généraliste et inaugurait son cabinet tout neuf avec un bubon des familles et une ordonnance carabinée. En dix années d'activités fort lucratives, le bon docteur Bernardin avait gagné la sympathie et la confiance d'une clientèle bon chic bon genre qu'il allait parfois visiter jusqu'à Daumesnil, à dix bonnes minutes à pied. Paul Garand n'avait donc pas été le seul à prendre du poids.

— Nadine, c'est moi.

— *Tiens, Paul, ça va ?*

— Pourquoi tu parles tout doucement ?

— *Je suis dans le jardin du musée Rodin. Il n'y a personne.*

— Dans Paris ?

— *Oui, le musée Rodin, aux Invalides ! Je t'en ai déjà parlé, Paul, tu perds la boule !*

— Quand je t'appelle et que t'es en balade, c'est toujours un endroit différent. Je vais pas faire une liste !

— *Tu pourrais t'en souvenir, quand même ! Le plus magnifique des jardins de Paris. On n'entend pas les voitures, que les oiseaux ! Ils sont là, ils picorent, ils n'ont peur de rien… Je suis presque seule à cette heure-là, c'est si tranquille.*

— Presque ?

— *Il y a deux adolescents qui s'embrassent sur le banc d'en face. Ça me rappelle quand je séchais l'école pour aller sur la plage !*

— T'as de la chance d'avoir du bon temps…

— *C'est vrai, c'est une chance. Les arbres, les bassins, les buissons, les grandes sculptures… Tous ces petits recoins pour les amoureux.*

— Ça existe encore, ça, les amoureux ? On consomme pas virtuellement, maintenant ?

— *Ça existera toujours, Paul ! Que tu es désabusé…*

— Pas désabusé, Nadine, tu sais bien : inadapté.

— *Mon Paul ne va pas fort, aujourd'hui… Une contrariété ?*

— Je pensais à toi, tout à l'heure. J'étais sur le canal. Tu te souviens du canal ?

— *Bien sûr…*

— Un pauv' gars de trente balais s'est fait dézinguer par un malade. On l'a retrouvé dans un état… Fallait que je réfléchisse à ça… et j'y arrivais pas. J'y arrive plus du tout, Nadine. J'en ai ras la casquette.

— *Ça fait des années que tu me dis ça, Paul…*

— Ouais, mais là, j'en peux vraiment plus. Par exemple, pourquoi les impôts augmentent, à ton avis ? Tu sais combien y a de caméras dans la ville ?

— *Dis…*

— Cinq cents. Une pour quarante habitants. Ils augmentent leur taxe d'habitation pour les payer et ils veulent encore en installer d'autres, alors que ça sert à rien. Mais les gens sont contents. Alors moi… non… je comprends plus le monde où je vis.

— *Tu n'as jamais été fait pour travailler dans la police, je te l'ai toujours dit.*

— Ouais… enfin, je pensais à toi… sur le canal…

— …

— Tout me fait chier, maintenant…

— *Tu te plains tout le temps ! Tu sais, avec Jean-Pierre, je ne dis pas que nous vivons une folle histoire d'amour, mais… c'est agréable… je suis habituée… je profite du temps qui passe… je me promène, je ne m'ennuie jamais… c'est Paris, c'est vivant… je sais pas…*

— On était pas bien, tous les d… ?

— …

— Excuse-moi. Bon, j'vais aller bouffer, tiens…

— *Et Grégory, ça va ?*

— Comme ci, comme ça. Le gérant du magasin n'est jamais là. Alors il s'occupe de tout, mais ça marche pas terrible…

— *Et sa copine…*

— Ça fait un bout de temps que c'est fini. Tu débarques…

— *Dis-lui qu'il m'appelle, je n'ai aucune nouvelle.*

— Je lui dis.

— *Ça ne fait pas beaucoup d'effet !*

— Ça, Nadine, tu sais ce que j'en pense… C'est pas lui, quand il était ado, qui t'a demandé de partir avec ton rebouteux !

— *Tu exagères, Paul, ça fait plus de dix ans et… je ne vais pas payer ma liberté jusqu'à la fin de mes jours ! Je ne l'ai pas abandonné.*

—Je lui dirai qu'il t'appelle. Envoie-lui un peu de pognon, il veut se payer une nouvelle lunette astronomique…

—*Bon, je lui envoie un chèque.*

—Allez, faut que j'aille bouffer. J'ai du boulot…

—*Je pense souvent à vous, tu sais… Je t'embrasse…*

—Nous aussi, on t'embrasse…

—…

—Promène-toi bien. À demain.

—*À demain, Paul.*

Mathieu

Papa, papa, hm… peu êtr' pas faute à 'ccident que j'ai l'handicap, à pus marcher, crève en chien, comme ça, rèt… hm… terminé, à chier par trou, pas retenir, non… hm… pas faute agression seule, toi aussi… tout de ma vie vouloir surveiller digèrer… hm… diriger, jusqu'à transforme moi objet, pus jamais décider… Papa voulais… hm… voir un fils que t'es fier, fils que le père montre vec quoi réussit qu'il a raté lui, lors toi… hm… trouvé rite… hm… tir à l'arc, et moi… hm… dezenir la drogue, et centration, et traînement, des jours et des jours, z'années, mais c'est toi voulu gagner… hm… pas moi ! J'a dire rein, et content, et pas dire ça m'envahit… hm… ça qui ne m'appar… qui ne m'appar… hm… tient pas, papa, ce n'ai pas soisi… hm… coujours moi me taire pour que tu fier et mama aussi, et pas faire d'histoires… hm… et fin de contre… hm… moi la chose, moi deviens la chose, et mama aussi… hm… sa faute pareil, mais peur de voix… de toi… coujours regarde les yeux durs tant c'est pas comme tu veux, z'yeux durs… hm… crier, dire l'honneur et choses que j'a pa envie… hm… mais gronde et fâche et t'œil bizarre… hm… commence très tôt la manipule, plus facile vec l'enfant, trop faible et genti… hm… alors passe le temps et pas dire non, pas dire… hm… temps passe, oui… tout foutu dans la tête et quesse peux faire ça contre, hein… hm… rein… impossib dire non… contre la force père, modèle grand seul, pas tortiller, obéir à l'arc, et à l'arc doigts tout crouges… hm… et ramer trophée, que nom de père fier écrit dans les journaux, ma vie tracée… hm… trop tard, serpent na mordu et fils en soumis de père, tout soumis de père… hm… alors pleure souvent, oui pleure… vec l'arc et doigts de sang… hm… mais moi… hm… moi me fous zévènement mondial, me fous… hm… gagner, être héros, vaincre et célèbre… hm… mais pas dire et pleure, pas montrer papa, pleure cachette, oui pleure cachette, voilà.

21 septembre

En quinze jours, le cas Bartavel s'était pris du plomb dans l'aile. La ville avait frissonné d'une émotion somme toute mitigée, le temps de stigmatiser une population, de chauffer l'adrénaline des phobiques, d'égrener les inévitables brèves de comptoir du type : « Ils ont ça dans l'sang, c'est la race qui l'veut, faudrait qu'ils soillent stérilisés. » Puis les affaires avaient repris leur cours : l'automne, le championnat, la fête de la patate à Brétigny et l'exposition de papillons séchés à la bibliothèque municipale. Guillaume Bartavel avait rejoint les archives des mémoires sélectives.

*

Le tout-terrain vert-de-gris stoppa dans la cour du domaine, près de l'ancienne étable. Le conducteur enclencha la marche arrière, les quatre roues motrices s'accrochèrent aux quelques touffes d'herbe enfouies sous l'épaisse couche de boue. À un mètre de la vieille porte passée au badigeon de chaux blanche, le frein à main crépita d'un trait.

La maigre clarté d'un soleil voilé dessinait au sol les ombres de la maison, une vaste longère rustique à la base d'un U décrivant, au centre des trois hectares de la propriété, l'ensemble d'un corps de ferme magnifiquement rénové. Moteur éteint, l'homme lâcha le volant et appliqua ses paumes bien à plat sur ses cuisses, sur le nylon humide de son survêtement. Immobile, il regardait droit devant lui, vers la grange du nord. Il entendait, sans vraiment y prêter attention, des gémissements étouffés en provenance du coffre. Il tourna la tête vers la droite. La chambre du bas était éclairée. À travers les rideaux blancs, les mouvements irréguliers et rapides d'une lumière cathodique.

Il respira profondément et se tapa sur les cuisses.

—Bon.

Il renfila ses gants de cuir.

Rémy Giacomet ne cessait de gigoter, les poignets ligotés dans le dos par un morceau de câble électrique et la tête enfouie dans un sac de toile noire.

—La ferme! ordonna l'homme en ajustant ses gants à la jointure de ses doigts.

Il ouvrit la portière, posa une bottine sur le marchepied, l'autre s'enfonça dans une flaque de boue. Il faudrait faire livrer un mètre cube de gravillons pour stabiliser cette partie de la cour, songea-t-il. Une maison, c'est une aventure interminable. On a toujours quelque chose à améliorer, à rafistoler, à changer, à repeindre. Quand on arrive à bout de l'isolation du grenier, il faut reprendre la toiture qui s'écroule au-dessus de l'ancien four à pain. Une attention de chaque jour, un travail permanent, une vie tout entière à prendre soin de ce qui doit protéger les siens et embellir leur quotidien.

Sa deuxième bottine s'enlisa.

Rémy Giacomet, employé municipal à mi-temps, était affecté à l'entretien des espaces verts de Nogent-les-Chartreux. De taille moyenne, le cheveu court et brun, plutôt mince, le nez écrasé et les lèvres proéminentes, l'air toujours un peu barré dans des pensées mystérieuses, profondes, où le vol majestueux d'oiseaux d'or aux plumes rongées de rouille se reflétait dans les flaches noires et froides des villes de chagrin, Rémy Giacomet, qu'une raisonnable lucidité avait précocement éloigné de l'illusion enfantine qu'il deviendrait un jour riche et célèbre, concubinait avec la douce, fine et timide Delphine Méreau, secrétaire médicale au cabinet de psychiatrie des frères Mordat, les deux seuls cliniciens de Nogent à pratiquer le freudisme sans l'ombre d'un doute. À part ces deux-là, les névrosés communaux n'ayant de choix qu'entre un kinésiologue illuminé, une programmatrice neurolinguistique sous hypnose permanente et un médium suprasensoriel, en cas de souci, les plus méfiants mangeaient du Xanax. Quand il ne tondait pas les pelouses des ronds-points, ne repiquait pas pensées et œillets d'Inde sur les plates-bandes du jardin Tino-Rossi, ni ne taillait les platanes de la place Poincaré, il s'adonnait à la sculpture sur métal dans le garage de son pavillon. Une passion qui l'obligeait souvent à se faire signer des arrêts et des prolongations, aisément obtenus par l'entremise de sa compagne. Dans les couloirs de l'hôtel de ville, il passait pour le dépressif de service avec qui l'on est indulgent, sans excès.

Du mercredi midi au dimanche, l'artiste retrouvait goût à la vie en allant fouiller dans les déchetteries et les poubelles des carrossiers. Il y glanait tôles et tuyaux, récupérait pièces de moteurs et vieux bidons rouillés, câbles, chaînes, fil de fer, aluminium, cuivre, acier. Il triait ses matériaux, les classait et les rangeait. Puis il restait longtemps à observer ses trouvailles, à chercher la forme et la couleur qui donneraient corps à son idée. Ensuite il découpait, trouait, tordait, martelait, meulait, ébarbait, puis assemblait, entortillait, équilibrait, fixait et jugeait le provisoire. Il améliorait les courbes, réagençait les points de contact, raccourcissait une patte, allongeait un bec, augmentait le déploiement d'une aile ou en diminuait l'envergure. Enfin, il passait à la soudure. Puis une patine de vernis incolore finalisait la pièce par d'étonnantes brillances et des reflets inattendus. Sur ce, il déposait l'oiseau métallique sur une étagère parmi palmipèdes et échassiers, et s'allait replonger les mains dans ses monceaux de ferraille.

À part Delphine, nul n'était au courant de ses activités artistiques. Rémy considérait que cela ne regardait personne et qu'il n'y avait rien à expliquer. C'était ainsi. Il avait réussi à se ménager des zones de liberté totale, en dehors de toute contrainte professionnelle et financière. Ses oiseaux n'avaient pas de prix, pas de signature. Alors, certaines nuits, il s'emparait d'un de ses volatiles et allait l'offrir au peuple en le déposant dans la ville, sur un muret, une pelouse ou au pied d'un arbre. Plusieurs dizaines d'oiseaux avaient ainsi été exposés, anonymement, dans Nogent et quelques bourgades de la région. En général, à l'aube, l'œuvre avait disparu, devenue la propriété d'un promeneur.

Ce 21 septembre, vers 17 h 30, profitant d'une accalmie des ondées automnales, le sculpteur avait enfourché sa bicyclette et, traînant derrière lui sa charrette à bricoles, s'était rendu sur le chantier d'une aciérie en loques dans l'espoir d'y dénicher des trésors. C'est là, dans les ornières argileuses d'un désert sans avenir, qu'il était tombé nez à nez avec le pare-chocs chromé du poids lourd vert-de-gris.

— Le voyage est terminé. On descend, grinça le conducteur en levant le hayon du coffre.

Giacomet, glacé de terreur, aveugle, suffocant, les bras tordus, se mit à battre des pieds n'importe comment. Son cri rauque, presque sans timbre, une sorte de raclement sans air, un grommellement sombre et gras de sanglier piégé, déforma grotesquement le sac de toile noire. Sa plainte fut illico suspendue par un méchant coup de pied-de-biche qui lui brisa incisives et canines. Sous la douleur, il s'évanouit.

Quelques minutes plus tard, son corps nu était sanglé aux barreaux du râtelier par des mètres de corde. L'ensemble formait une sorte de saucisson géant, de chair et de chanvre. S'il pouvait bouger, ce n'était que des yeux.

— Ça y est ? On se réveille ? J'ai eu le temps d'aller boire un verre et de pisser, mon vieux !

L'otage tenta de prononcer un mot, mais un lamentable gargouillis dégobilla de sa bouche ensanglantée, bulles de sang mêlé de salive, morceaux de dents glissant sur son menton mal rasé. Le pied-de-biche avait disloqué ses mâchoires. Néanmoins, quelques syllabes émergèrent péniblement.

— Si ou claît…

— Pardon ?

— Quitié… e cherai out ce que ous oulez…

— Je ne vais pas te faire souffrir. Je vais juste t'expliquer quelque chose, dit l'homme en cognant un manche de pioche contre son mollet, moins pour inquiéter sa victime que pour apaiser son incommensurable colère.

— Si ous claît… e oterai our ous… e dirai à out le onde de oter our ous… ous z'en suclie…

— Ne te fatigue pas. Je vais retirer ma candidature. J'ai bien réfléchi. Je préfère le travail de terrain, c'est beaucoup plus valorisant.

L'homme aux bottines s'était efforcé de donner cette réplique nonchalamment. Elle s'était déroulée, légère, aussi soudaine qu'étrange, en totale contradiction avec la lourdeur de la situation. C'eut pour effet de produire une imperceptible mais réelle diminution de l'effroi chez le jeune sculpteur, qui s'autorisa un instant de rébellion.

— Détache-oi ! T'iras en taule ! 'culé ! se lâcha Giacomet avant de se rétracter. Non, ardon, ardon !

Un puissant coup de genou lui broya l'entrejambe. Il resta en apnée, semble-t-il, plusieurs minutes, tandis qu'une ample et profonde douleur envahissait tout son corps. Et le fou aux bottines ne maîtrisa plus sa fureur.

— Tu crois que je ne sais pas exactement qui tu es ? hurla-t-il en matraquant les couilles du gars jusqu'à ce qu'elles éclatent. Je sais tout sur toi ! Je t'ai souvent regardé faire. Alors, tu sais pourquoi tu es là ? Hein ?

Rémy Giacomet, dans les vapes, ne voyait plus rien, gémissait faiblement, l'entrejambe en sang.

— Tu ne sais pas *?* Réfléchis un peu. La vengeance que je vais exercer sur toi dépasse largement le cadre de ta petite personne minable ! Il n'y a pas de raison que tu sois épargné quand d'autres sont humiliés. Dieu m'est témoin que je libère ainsi le monde des injustices !

— Si ou claît…, gémit Rémy Giacomet, qui ingurgitait, contraint et forcé, le délire de son tortionnaire.

— Tss, tss, tss. Tu fais de la sculpture ! Hein ? NE NIE PAS ! Je suis très bien renseigné. Tu te crois choisi au hasard ? ENCULÉ DE CLOPORTE DE MERDE !

L'homme déambula dans l'étable sombre, sur le tapis de paille séchée, tout empli de sa mission de purification.

— Le pêcheur, lui, il savait, dit-il avant de se retourner vers sa victime. Il me l'a dit. Il s'est même excusé. Alors, je vais t'expliquer. Tu vas mieux comprendre…

Au fond de la pièce, sous une ouverture étroite du mur occultée par un bouchon de tissu et de journaux jaunis, quelques outils épars traînaient sur un vieil établi. Des planches, aussi, jetées contre les pierres sales.

— J'ai fait ça pour toi, annonça-t-il en saisissant l'une des planches et en l'exposant au regard de Giacomet. Tu auras ça autour du cou plus tard. J'aime que certaines traditions ancestrales se perpétuent. Tu as bien lu ? Alors on peut passer à la suite.

Il fit un bref aller-retour vers l'établi et revint avec une lampe à souder, qu'il plaça à hauteur du visage de Giacomet.

— Tu reconnais ça ? N'est-ce pas l'un de tes outils de prédilection ?

— Quitié ! s'étrangla le sculpteur en souillant l'intérieur de ses cuisses.

L'homme alluma la lampe. D'un geste précis, libéré de toute fébrilité, il enfonça le brûleur dans la gorge de l'artiste et tourna la virole de réglage au maximum.

Au milieu de la nuit, la voiture quitta la cour de la ferme, chargée du cadavre de Rémy Giacomet. Le corps du pauvre gars fut largué sur le trottoir, l'écriteau en bandoulière, devant la porte d'entrée de Pôle emploi, rue de la Beaune à Nogent.

Au retour, l'homme aux bottines entrebâilla la porte de la chambre éclairée.

— Tu regardes encore la télévision ? demanda-t-il.

— Hmm. Ça… tout passé… ne croblème ?

— Aucun problème.

24 septembre

Le visage de Rémy Giacomet était gravé sur toutes les rétines comme les prémices du grand frisson collectif. Les Nogentais épuisaient les stocks de quotidiens locaux, commentaient les informations, rivalisaient d'hypothèses. Pas un n'avait manqué le journal de midi sur la chaîne régionale.

La découverte du corps avait profité au commandant Garand, qui frisait maintenant les cent vingt-deux kilos. Bientôt quatre semaines écoulées depuis le premier meurtre et déjà un cran de moins à la ceinture de son uniforme. En ex-fin gourmet nostalgique d'une époque où Nadine et Grégory applaudissaient ses prouesses culinaires, il ne cuisinait plus que rarement et exclusivement pour son fils. Le reste du temps, il avalait n'importe quoi, n'importe quand, et en des quantités que Dieu lui-même aurait jugées blasphématoires, s'il avait été là pour le voir.

Ce mercredi soir, vers 19 heures, il tapissa son grand plat de terre de couennes rissolées à la graisse d'oie, puis disposa par couches successives les haricots blancs, le confit de canard dégraissé, l'échine de porc dorée au saindoux, le carré de mouton, le lard de poitrine, les tranches de saucisson à l'ail et les morceaux de saucisse de Toulouse. Il saupoudra le tout de chapelure maison, arrosa de graisse chaude en modérant son coup de cuillère et glissa le plat au centre du four. Les viandes, les carottes petites, l'oignon piqué de girofle, l'ail et le thym dégageaient un ensemble harmonieux de parfums qu'il offrirait à son fils en guise de bouquet d'accueil.

Paul Garand préparait toujours ses plats pour huit. Grégory prenant sa part et son père mangeant comme quatre, il restait de quoi assurer les trois quarts d'un repas du lendemain.

Grégory poussa la porte vers 20 h 30. Il étala son grand corps anguleux dans le canapé et se roula plusieurs clopes d'avance, au grand dam de son papa qui militait ardemment contre le cancer du poumon, surtout celui de son fils.

— Pas dégueu, l'odeur, fit-il d'un air blasé.

— Ouais, je t'ai fait un cassoulet, mon pote ! Un vrai, hein, pas de la boîte ! Genre Castelnaudary, tu vois ? La viande, tu m'en diras des nouvelles… Et j'ai acheté une bouteille d'irouléguy chez le caviste, il m'a dit que ça allait bien avec. T'aimes ça, le cassoulet ?

— Ouais, cool…, répondit Grégory en fumant, les pieds sur la table basse.

— Sûr ?

— J'te dis yes, Dad, t'inquiète…

— Bon… Et ta journée ?

— Comme d'hab'.

— Au fait, ta mère t'a envoyé un chèque ? lança Garand depuis la cuisine, où il était allé chercher une bière fraîche et un soda.

— Ouais ouais, pour ma nouvelle lunette, c'est top.

— C'est moi qui lui ai dit… de t'envoyer du pognon…

— Super…

— T'as reçu combien ?

— Huit cents.

— Quoi ?! s'étrangla le père en s'arrêtant dans l'encadrement de la porte, le cul des bouteilles sur son gros bide. Sûr qu'elle a trouvé l'bon ! C'est pas moi qui te filerais cinq mille balles, j'les ai pas.

— En ajoutant un peu de ma poche, je peux avoir la new Celestron. La Nexstar. Avec oculaire numérique et appareil photo intégré. Le kif.

— Ben, y en a qui s'emmerdent pas !

— J'vais pouvoir m'arracher dans des galaxies encore plus lointaines.

— Tu l'as appelée ? fit le gendarme avec une pointe de désinvolture, pour déjouer tout conflit bicause terrain glissant.

— Hé, Dad, je sais c'que j'ai à faire, OK ? À vingt-cinq ans, je gère.

— Bon, bon… Elle est sympa, en tout cas…

— C'est pas elle qui raque.

— Bon, eh ben… tiens, v'là ta bière, enchaîna Garand, le visage barré d'un sourire mélancolique.

— Thank's.

Un court silence. Garand pensait très fort à Nadine qui se la coulait douce dans ses appartements parisiens, se payait des après-midi ensoleillés sur les pelouses des Buttes-Chaumont et se faisait des frayeurs dans les galeries d'art contemporain, rue des Archives et rue du Temple ; baguenaudait le long du canal Saint-Martin en boulottant un beignet pour se rappeler, émue, ceux que Paul assaisonnait à la liqueur de framboise et au sucre glace ; s'arrêtait un instant sur le pont de l'*Hôtel du Nord* pour se souvenir qu'« on pleure avec ses châsses, on mange avec sa bouche, mélangez pas les organes ! ».

— Comment ça va au magasin ? reprit le père pour tuer l'ange dans l'œuf.

— Joker ! Question déjà posée.

— Ah…

— Toujours le bad trip *idem*, sauf que le boss est de plus en plus stress. Il parle d'acheter un gun…

— Encore un qu'a des idées…, fit Garand, dépité.

— Tu lis les journaux, comme tout le monde…

— Ils vont trop vite ! On a beau leur dire de mettre la pédale douce, ils nous balancent des tueurs en série à la chaîne ! Suffit d'une info pour que les gens achètent des bazookas par wagon !

— Ça t'fait flipper, la psychose, hein ?

— C'est surtout que ça file du boulot en plus…

Un autre court silence.

— Et la signature sur la pancarte, « SUGET 1 », t'en penses quoi ? demanda Grégory après une gorgée de rousse.

— Pour l'instant, pas grand-chose… La planche autour du cou, ça fait punition du Moyen Âge, non ? Vaut mieux pas conclure trop vite.

— C'est pas la prems.

— Quoi ?

— Signature. C'est pas la première.

— Qu'est-ce tu racontes ?

— Le macchab' du canal était signé aussi.

— Hein ?! fit Garand en se raidissant dans son fauteuil, face à son fils qui semblait en savoir plus que lui.

— Eh yes…

— Comment tu sais ça, toi ? T'as quand même pas foutu les pieds sur les lieux du crime ?

— C'est interdit de s'promener ?

— Nom de Dieu ! s'énerva le père en se levant péniblement. J'suis peut-être gros, mais j'suis pas con ! Me dis pas que tu t'es retrouvé là-bas en allant aux champignons ! Le ramassage des pieds-de-mouton, c'est pas vraiment ton hobby ! Toi, t'as la tête dans les étoiles !

— Pourquoi tu m'prends le chou, là ? C'est une zone libre, non ?

— T'as le droit de te promener, pas celui d'aller glander dans les parages d'un crime !

— Tu fais ièch, Dad, dit Grégory, trop désinvolte.

— Mais, bordel, si tu tombes sur un type louche qui revient… Tu te vois nez à nez avec un dingue ? Je ne veux pas que tu traînes dans ces coins ! C'est des endroits où on doit pouvoir retourner en cas de besoin, pour un complément, un prélèvement…

— T'avais qu'à mettre des barrières tout autour, putain ! Arrête ton flip, ça m'soûle ! lança Grégory en haussant le ton.

— Non, j'arrête pas, je t'interdis de traîner sur les lieux des enquêtes, répondit le père, un cran plus bas pour calmer le jeu.

— Parce que tu t'intéresses aux enquêtes, maintenant !

— Je m'intéresse à toi, ducon ! Ah, tu fais vraiment chier, Greg !

— Hé, Paulo, you know what ? Tu vas te calmer, OK ? Je te dis que le premier crime est signé, et toi tu pars en vrille ! J'ai juste zoné cinq minutes là-bas avec Grégoire.

— Tu fréquentes encore ce mec ? C'est un nul !

— Primo : tu parles pas comme ça de mon meilleur pote. Deuzio : son allergie au travail est un refus du système, il assume. Toi, t'es dedans et t'as du mal. Alors, slowly. Bon, je termine : y a un graff qui ressemble à celui de la pancarte du macchab' de Pôle emploi. « SUGET 0 », genre…

— Bon. Renfile tes godasses, on y va, ordonna Garand en lâchant sa canette d'eau sucrée.

Ils sortirent ensemble de la gendarmerie. Après trois poussées de tachycardie, Garand bloqua les pneus de sa voiture devant la baraque en bois.

— Vas-y, montre, dit-il en ouvrant la portière.

Il suivit son fils, sa lampe torche au poing.

— Tiens, mate ça, suggéra Grégory en pointant du doigt la fameuse inscription.

— « SUGETO NIK LA POLICE ». Et alors ?

— Si tu lis autrement, ça fait « suget zéro », Dad. Le reste, on s'en fout, c'est pas la même écriture. Tu vois pas ?

— Suget zéro…, répéta Garand, dubitatif.

— Suget zéro, un, deux, trois, quatre… Tu piges ? T'as jamais remarqué que, pour un journal qui démarre, le premier exemplaire, c'est le numéro zéro ?

— …

— Le cadavre de lancement, quoi.

— Mouais… Et pourquoi signer à l'extérieur ?

— Un coup d'hésitation, un coup de flip… Ou juste pour te faire trimer…

— Tu veux me faire croire que le tueur est un journaliste ?

— Attends, Dad, j'ai pas dit ça, t'emballe pas ! Surtout qu'y a une faute. « Sujet », ça s'écrit avec un *j*. L'illettrisme a encore frappé.

— Un *j*... Ah, ouais...

— Conclusion : après zéro et un, y a quoi, commandant ? interrogea Grégory avec le sourire en coin de celui qui vient de bluffer le monde entier.

Garand soupira longuement. *Décidément, mon Greg est un génie. Peut-être pour ça que j'ai tellement de mal à le comprendre.*

— Putain de merde ! Elle va être belle, la conférence de presse de demain soir...

— Ouais, va falloir minimiser, sinon c'est le Far West assuré ! *Helter Skelter*, my friend ! Un tueur est sur la route...

Père et fils se réinstallèrent sur les sièges de la Clio, le premier comme une montgolfière compressée, l'autre comme un fakir contorsionniste.

— « Suget »... Qu'est-ce que c'est que ce malade ? se questionna le commandant en tournant la clé dans le démarreur.

— Un sujet, c'est un être humain, Daddy, expliqua Grégory en se roulant un clopiau.

— Ta ceinture.

— Mon corps m'appartient. Et dans la caisse d'un keuf, je suis en sécurité, en principe.

— T'aurais dû faire du cinoche, toi ! Bref, un sujet, merci, je sais c'que c'est, majesté !

— Mais c'est aussi une peinture..., ajouta Grégory en faisant mine de détenir les clés d'un mystère.

— Kessidi ?

— Idi que le peintre, y peint son modèle. Il a un sujet, quoi. Il le peint et le résultat, théorique, c'est un tableau. Tu vois c'qu'y veut dire, ou y faut un dessin ?

— Pas besoin de tes crobards. Continue.

— C'est le sujet qui fait l'œuvre. Understand ?

— Un tueur artiste, alors ?

— Souvent, les peintres font des séries, tu savais pas ?

— J'suis pas allé à l'école autant que toi, moi ! J'ai pas fait licence histoire de l'art..., se défendit Garand en pénétrant dans l'enceinte de la caserne.

De la fumée noire sortait par une des fenêtres de son logement de fonction.

— Merde, la cuisine ! Cours, Greg, vas-y, nom de Dieu ! Hé, les clés !

Grégory se précipita au premier étage, poussa la porte, fonça à la cuisine où le cassoulet de Castelnaudary se carbonisait dans son plat fêlé. Courants d'air, battements de bras, toussotements de Garand fils, arrivée de Garand père soufflant comme un bœuf.

— Ah, ben, voilà, avec tes conneries, c'est malin ! Qu'est-ce qu'on va bouffer ?

— Franchement, t'es le mec le plus malhonnête de la planète. J'comprends pourquoi ta femme s'est tirée !

— Ah, c'est fin, ça !

— Pas étonnant que tu sois flic, aussi. Quand un truc déconne, c'est toujours les autres !

Une fois l'incendie évité, le plat et son contenu dans la poubelle et la fumée totalement dissipée, il y eut un petit moment de flottement. On se grattait le menton mal rasé, on fixait la porte noire du four en espérant qu'elle se laverait toute seule, on se regardait l'un l'autre, qui l'œil désolé, qui l'œil atterré.

Puis Paul Garand mit fin au tête-à-tête en allant tirer la porte du frigo. Des dizaines de pots de yaourt aux fruits, plusieurs plaquettes de beurre, des saucissons, du jambon en plastique, des pâtes, des rillettes et des terrines chimiques, des litres de lait, des douzaines d'œufs, des restes de pizzas, de quiches, de tourtes surgelées, des pots de cancoillotte, de mayonnaise, de moutarde, de confitures, d'olives noires et vertes, des tubes d'harissa et de concentré de tomate, des tonnes de gruyère râpé et de parmesan… de quoi tenir le siège d'Alésia (52 av. J.-C.). Il s'immobilisa devant ses promesses d'orgie, l'eau à la bouche, et réfléchit à ce qui pourrait avantageusement remplacer le cassoulet cramé maison.

— Ça t'fait combien d'temps, un frigo plein ? fit Grégory, un rien goguenard.

— Je fais les courses une fois par semaine et c'est pas tes oignons.

— OK, Dad.

— Bon, qu'est-ce qu'on bouffe ?

— Te casse pas, Dad. Je mouve.

— Ben, tu vas pas partir le ventre vide, quand même ! Regarde-moi ça, t'es épais comme un sandwich SNCF ! Tu bouffes pas chez toi, ou quoi ?

— Si, mais pas autant que toi.

— Ça, on sait, mais toi ?

— Bon, je mouve, Dad, reprit Grégory sur le départ.

— Tu *mouves* ? Et c'est quand que tu vas arrêter de causer comme un débile d'English ?

— Et toi, c'est quand qu'tu t'mets au régime sec, putain ? Arrête de bouffer comme une poubelle, un peu ! Tu t'intéresses à rien ! Nothing ! Les enquêtes, tu t'en branles, tu mates la téloche jusqu'à loucher et tu passes tes dimanches à essayer de fixer un bouchon qui gigote dans les vaguelettes… English ou pas, tu piges que dalle à ce qu'on te dit ! Comment tu vas faire pour arrêter le tueur à ce rythme-là ? T'as pas l'impression de devenir franchement con ?

— Hé, ho, tu baisses d'un ton, hein… On ne cause pas comme ça à un représentant de l'ordre ! dit Garand en tentant une petite incursion sur le territoire de l'humour.

— L'ordre ? Putain, tu m'fais trop pitié, des fois ! Je bosse, moi, j'me la coule pas ! Je prends pas trois kilos par jour !

— Oh, je m'excuse, merde ! râla le père tout en pensant : *Trois kilos… il exagère…*

— C'est ça, Dad.

Un long silence. Garand regardait la nuit par la fenêtre. Grégory enfila son blouson d'aviateur et vérifia la présence des clés dans sa poche droite. Eux deux, ce n'était toujours pas ça.

— Bon, allez, on va pas s'engueuler… Je te fais une omelette au gruyère avec des cèpes, j'en ai au congél…

— Tu t'la fourres, ton omelette.

— Allez, Greg, tu vois bien… Y a d'la pression partout en ce moment…

— C'est toi, la pression. Allez, salut.

La porte fit cruellement vibrer les tympans du commandant. Il s'accouda au rebord de la fenêtre, la mine coupable. Il sentait la fraîcheur nocturne de l'automne.

Le ciel était rarement aussi dégagé. Il suivit son fils des yeux. Grégory traversa l'avenue.

— Fais gaffe aux flics, y en a partout ! plaisanta-t-il de sa voix volumineuse.

Grégory leva la main gauche sans se retourner.

Que je suis con. Que je suis con. Que je suis con, pensa le gendarme.

Le fils avait fui, laissant le père à sa solitude, à son enquête et à sa ville qu'il allait devoir tenir, car ça commençait à jaser sérieux. Deux morts en trois semaines avaient fait exploser les statistiques. La déprime automnale n'arrangeait rien. Tout était gris, même dans les vies, tout était vide, une ville d'aigris.

*

Grégory réintégra son deux-pièces calme au quatrième étage d'un immeuble ancien de la rue Molière. Un couloir étroit, encombré de chaussures de sport et d'une étagère sur pieds croulant sous des piles de magazines d'art et d'astronomie, desservait, de gauche à droite, la chambre, la cuisine, le salon. Face à la cuisine, juste à droite de l'entrée, une affiche du Davette Unit avec ce titre : « La distance qui nous sépare des anges ». Au sol, un vieux parquet de sapin grinçait à chaque latte. Aux murs, un peu partout, pêle-mêle, des reproductions d'œuvres de Pollock, de Rothko, de Basquiat et, en manière de trumeau, une grosse bonne femme de Niki de Saint-Phalle, au-dessus de la cheminée. Au sol et comme tombés dans l'oubli gisaient des livres et des catalogues d'expositions, vestiges de ses années d'histoire de l'art qui n'avaient pas empêché

Grégory d'échouer au milieu des raquettes de tennis et des protège-tibias. Au plafond de la chambre, une carte du ciel fluorescente de six mètres carrés. Grégory s'endormait chaque soir à la belle étoile.

La fenêtre du salon donnait au sud. La lunette astronomique était en position de tir permanent.

Grégory se percha sur son tabouret de plexiglas et visa loin devant après avoir enclenché *Abbey Road* sur son lecteur. Quatre garçons dans le vent, dont un pieds nus, traversent le passage piéton situé au croisement d'Abbey Road et de Grove End Road (photographie historique de la pochette par Iain MacMillan, le 8 août 1969 au matin). Pendant *Here Comes the Sun*, Grégory procéda à une série de réglages et crut deviner la courbe du Sagittaire. Il dirigea la visée plus au nord de quelques millimètres. C'était le bon moment. Le ciel était si clair, si net. La constellation de Jupiter s'offrait tout entière. Chercher dans le triangle. Dans l'exact prolongement de la Petite Ourse et de Véga. Sur une ligne nord-sud. Trouver l'ombre gigantesque. La braise. Un léger réglage encore… un maximum de netteté… les lentilles poussées à fond… et l'on toqua à la porte.

— Entrez, c'est open !

— Salut, Greg !

— Salut, tout l'monde. Mettez-vous à l'aise, j'ai un truc sur le feu ! Prenez c'qu'il faut dans l'frigo…, lança Grégory sans décoller son œil du viseur. Putain ! Dément !

Jupiter était là, palpitante, rouge, énorme.

— Je croyais que t'étais chez ton père, ce soir…, dit Grégoire en posant les bouteilles sur la grosse bobine EDF rafistolée.

— Non, je… c'était galère… Venez voir ça !

À bientôt trente ans, Grégoire avait l'air dégingandé de l'éternel adolescent qui cache mal son acné persistante derrière une barbe clairsemée. Les déchirures de son futal étaient étudiées au quart de poil, son long manteau verdâtre portait des auréoles du plus bel effet. On l'aurait aisément confondu avec un zonard SDF, ne manquaient que le chien pouilleux et le djembé. Depuis qu'il avait démissionné de son poste de vendeur au magasin de sport, il militait activement pour l'abolition du salariat à coups de pétards bien tassés. Son objectif dans la vie : en faire le minimum pour un maximum de liberté. Il grappillait les trois francs six sous auxquels il avait droit auprès des Assedic, travaillait un mois et s'arrêtait huit, collait du papier peint de travers chez des vieilles dames à lumbago et faisait pousser son cannabis dans le jardin de Magali. Grégoire et elle vivaient de baise et d'eau fraîche en écoutant Jamiroquaï à fond les décibels.

À tour de rôle, chacun vint faire de l'œil à la déesse de l'espace. Une petite rousse frisée, infirmière stagiaire dans une des maisons de retraite de Nogent, fut la seule sincèrement impressionnée. Elle mesurait cinquante centimètres de moins que Grégory.

— Parfois, rien qu'en levant la tête vers le ciel, je me dis qu'on est bien con de se la prendre, nota-t-elle. Avec la lunette, c'est encore pire !

— Greg, tu connais Noémie, la frangine de Mag ? demanda Grégoire avec sa petite idée derrière la tête, en allant se rasseoir en face de sa pote.

— Oui, on a déjà dû se croiser en ville, répondit Grégory sans daigner adresser le moindre regard à la susdite, sous prétexte qu'il se décapsulait une bière.

Vautrée dans le fauteuil en rotin, Magali s'intéressait moins aux planètes rouges qu'aux éléphants roses. Elle roulait un joint gros comme le pouce. Grégoire la matait d'un œil lubrique, suivait ses doigts agiles, lui souriait de ses lèvres fort mobiles. Magali répondit aux signes de son Greg en humectant lentement le bord gommé. En érection permanente quelle que soit la situation, ce dernier fredonna la chanson du grand Jacques : « Quand du bout de la langue je la lèche, elle tangue… » Magali écarta silencieusement les cuisses en allumant son pétard et en tira trois hallucinantes bouffées qui triplèrent le volume de ses poumons. Ils se souvinrent de leur dernière nuit, des doigts agrippés aux cheveux, des sexes goulus, des seins trempés, des claques sur les fesses. En dehors de la fumette et des câlins, Magali et Grégoire pratiquaient une activité qui les reliait tout autant que l'assouvissement de leurs instincts les plus charnels : ils se photographiaient l'un l'autre, de très près. En macro. Chacun son étoile… Images douces, peu contrastées, en gammes de gris infinies. L'ourlet translucide d'une oreille et la naissance d'une chevelure blonde ; le grain poivre et sel à l'ombre d'un pli d'aisselle ; l'horizontal d'une ligne de séparation, entre les cuisses, qui s'évase au pubis ; un bruissement de lèvres emmitouflées de toison luxuriante contre une courbe de chair ; les plissures d'un mamelon reposé ; un soupir de fente dans le galbe d'une plante de pied ; les méandres d'une veine bleue sur un sexe endormi. Malgré le contrôle des libertés individuelles, le devoir de vigilance et les relations polluées de méfiance, un écrin de poésie restait niché quelque part dans la ville.

— L'immensité du ciel, ça relativise, conclut Noémie, légèrement interloquée, avant d'ajouter vers sa sœur : Toi, Mag, ça te branche pas, ces choses-là ?

— Hé, la mioche, au lit ! trancha l'aînée.

Noémie n'insista pas et se retourna vers Grégory.

— Ça coûte cher, un engin pareil, sans indiscrétion ?

— Assez, mais je vais changer bientôt pour un truc plus puissant, répondit l'astronome en allant chercher le pain et le saucisson dans la cuisine.

Pour le plan de Grégoire, c'était pas gagné.

— Et ton père, il a des news sur les meurtres ?

— Nothing. À part qu'il a failli foutre le feu à la baraque avec un cassoulet, rien de nouveau. Faut dire qu'il s'en tape. Il y comprend que dalle. Je sais pas, en c'moment, il a la vue qui baisse.

— Il déprime ?

— Ça, depuis qu'il vit tout seul, il ressasse...

— Ressasser, c'est un mauvais speed pour les neurones !

— C'est aussi un palindrome, ajouta le fils du gendarme.

— Hein ?

— Un mot qui se lit dans les deux sens. Bref. C'est moi qui l'ai mis sur la voie de la possibilité d'une série. Et lui, il glande.

— Et alors ? réagit Grégoire.

— T'as fait des choix, mon pote, je les respecte. J'avoue qu'fallait un certain courage pour larguer un salaire et se démerder comme tu l'fais. Sauf que des mecs se font buter par un malade et que l'father, il en gratte pas une... Alors, sorry, mais il a des responsabilités. Je sais pas combien de dizaines de flics il peut avoir sous ses ordres. Il ferait bien de s'bouger l'cul avant que ça dégénère.

— Y a pas assez de flics dans les rues ? Putain, c'en est plein ! Dans les magasins, les écoles, partout ! J'en ai vu entrer dans le collège armés jusqu'aux dents ! Qu'ils laissent les flingues à la concierge, au moins ! Les mômes de treize ans, ils bavent sur les guns, ça m'casse en deux !

La préfecture avait envoyé une trentaine de policiers de Dreux pour prouver explicitement son engagement dans les affaires nogentaises. Paul Garand en avait été furieux. Pendant deux jours et deux nuits, les *vrais* flics avaient joué au FBI en faisant renifler les cartables à leurs molosses baveux et muselés, en contrôlant les gamins de la cité du Bas, en patrouillant dans la ville quatre par quatre de cette démarche lente et décidée de Wyatt Earp (Burt Lancaster) dans *Règlement de comptes à OK Corral*. Pourquoi aligner des lycéens contre un mur quand on recherchait un tueur ? La question reste posée. Des enfants apeurés feraient-ils de bons sujets dociles, obéissants, malléables ?

— J'te parle pas des cow-boys qui se tapent des trips en roulant du cul sur l'avenue Raspail, j'te parle des mecs comme mon père qui sont censés mener des enquêtes pour arrêter les dingues. Tu t'es déjà retrouvé sous une lame de cutter ?

— Moi, oui, fit Magali, dont les pupilles ressemblaient à des disques vinyle du Mahavishnu Orchestra de la période Sri Chinmoy Kumar Ghose (1970).

— Supprimer la police, OK. Et l'armée, la religion, l'école et l'État, OK, continua Grégory. Ça revient à changer le monde entier. Alors, par quoi on commence ?

— Tu conclus toujours tout par des questions tordues !

— Pas du tout. Je dis qu'il vaut mieux faire les choses dans l'ordre. D'abord, supprimer l'idée de police, cette nécessité soi-disant naturelle. Toute une éducation à refaire, quoi ! Toi-même, Greg, tu dis que le monde est pourri, non ?

— Assez, ouais…

— Alors, comment tu fais pour démanteler les réseaux de prostitution ? Pour arrêter les négriers et les vendeurs de sommeil ? Et les mafieux ? Et les politiciens et les banquiers véreux ? J'veux dire dans le monde actuel, hein ? Comment on fait ? Toi-même, tu serais le premier à appeler les flics s'il y avait du grabuge dans ton escalier.

— C'est bon, Greg, tu m'fais la totale ! Et les violences policières, jusqu'ici, à Nogent ? Dans notre petite ville toute molle ! Le môme de quinze ans qui s'est fait déboîter l'épaule à la sortie du bahut par un keuf siphonné ! Qui l'enferme, ce mec ? C'est un danger public, putain ! J'dis juste que ce monde me fait flipper, c'est tout. Ces connards de ministres, par bêtise ou démagogie, ne pensent qu'à la répression. Lâcher des cargaisons de flics sur le pays tout entier, connaissent que ça ! Feraient mieux de leur apprendre à lire !

— Mon père sait très bien lire !

— Ton père, c'est pas un flic. C'est un gendarme, un bouseux.

— Greg, please, dit Grégory fermement.

De manière à peine voilée, il cherchait plus à défendre son père – on ne tire pas sur une ambulance – qu'à trouver l'argument politique percutant qui ferait la différence.

— J'ai pas d'solution miracle, avoua Grégoire. Noémie, dis quelque chose !

— Je suis partagée… mais, par exemple, là où je bosse, c'est l'institution qui crée la violence. La hiérarchie. Les gens, eux, la subissent. Et il n'y a aucun flic pour les en protéger. Peut-être que nous n'en sommes encore qu'à la préhistoire des relations humaines.

Ils continuèrent à disserter sous le regard haschichique de Magali, qui trouvait le débat ethnologico-philosophique *vachement prise de tête*. Quant au tueur, ses mobiles, sa logique, aucune de ces énigmes ne fut ce soir-là résolue.

Grégory posa un nouveau disque sur le tiroir de la platine. *Love*, son hommage préféré (2006).

— Le plus grand groupe de tous les temps ! affirma-t-il en retournant à sa lunette.

Noémie le suivit pour partager ses visions célestes, Magali et Grégoire étaient cérébralement hors service. Comme quoi, le pétard à haute dose est un bon remède contre les velléités révolutionnaires.

Ils admirèrent encore Jupiter, puis Antarès et Altaïr, à des années-lumière. Puis Greg tourna en douceur la lunette vers l'est, sans que Noémie quitte la visée.

— Tu vois le petit losange, là ? demanda-t-il.

— Heu... oui... oui, ça y est, tout petit !

— Un peu au-dessus, il y a une étoile qui s'y relie ?

— Oui, possible...

— C'est le Dauphin.

— Pas mal...

— Et là, regarde, je descends. Ne bouge pas ton œil.

— C'est noir...

— Normal. Je descends encore... Tu vois quelque chose ?

— Heu... oui, mais... une lettre... un E...

— Ne bouge pas, je diminue le zoom. Là ?

— Te... orte... emporte... le vent... Ah, d'accord ! *Autant en emporte le vent* !

Noémie décolla son œil du viseur pour regarder en face, de l'autre côté de la rue Molière. Dans le salon de la vieille dame à laquelle Grégory rendait parfois quelques menus services, la lumière était allumée.

— C'est madame Fermier, dit-il. Elle est insomniaque. Elle bouquine des nuits entières.

Noémie visa encore par la lunette et vit madame Fermier tourner une page. Et madame Fermier semblait heureuse de ce qu'elle lisait. *« Je penserai à cela demain, à Tara. Pour le moment, je n'en ai pas le courage… »*

*

Vers 2 heures du matin, Grégory avait toujours les yeux grands ouverts. Quelque chose lui trottait dans le crâne. Il ralluma la lumière, se redressa sur un coude et gratta quelques lignes sur son bloc Sadosky.

« Dad, tu es vraiment relou. Tu fais chier. On ne peut pas causer avec toi. Jamais vu un type aussi borné. Et tu te retrouves seul, dans ton pieu, à remâcher tes conneries. Comme d'hab', comme depuis toujours, aigri, blasé, sans rien dans le bide, sauf ce que tu ingurgites. Entre une mère qui joue sa bourge à Paname et un père incapable de digérer quoi que ce soit depuis dix ans, je suis pas gâté, franchement. Qu'est-ce que j'ai comme exemple, moi ? C'est quoi, mes repères ? C'est déjà assez difficile d'être fils de flic, je te signale. Surtout aujourd'hui. Franchement, ça me sidère que tu sois aussi inerte. Et quelle mauvaise foi, quelle faiblesse ! Tu ne supportes pas quand j'ai raison. Trop d'orgueil. Je vais traîner un moment vers le canal, je te ramène de l'info et tu gueules. Malhonnête. Au lieu de me féliciter, de remettre en question tes capacités. Qu'est-ce que j'en ai à foutre de ton cassoulet ? Tu ne comprends pas que ce n'est pas ça, l'important ? Tu crois que je passe te voir uniquement pour bouffer ? Et puis j'en ai marre d'entendre parler du "gros Garand" dans les rues. Ça me fait honte. Tu ne peux pas faire un peu gaffe, non ? Tu vas en crever. Comment je fais avec un père qui se suicide à petit feu ? Tu crois que je t'apporterai des oranges tous les jours quand tu seras à l'hosto ? Que je ferai du soin à domicile jusqu'à l'arrivée du corbillard ? Tu ne réfléchis pas une seconde. C'est pourtant simple. Deux signatures, un tueur, une série, point final. Tu attends quoi, pour remuer ton cul ? À part ton coup de fil à ton ex tous les jours, qu'est-ce que tu glandes dans ton bureau ? Tu râles, tu envoies balader tout le monde, tu piques des crises, et tout ce que tu gagnes, c'est du ridicule. J'en ai marre, je suis ton fils, je te le dis, j'en ai marre, c'est tout. Tu peux pas me parler, non ? Me raconter des trucs au lieu de me bassiner avec tes recettes ? Dad, je te le dis gentiment : arrête d'attendre la mort sur ton canapé. Prends ta retraite et va à la pêche. Au moins, tu n'emmerderas personne. Et les cassoulets ne crameront plus. Ce soir, j'aurais dû rester, peut-être, pour bouffer ton omelette, je sais pas. C'est chiant de devoir… Enfin, excuse-moi d'être parti un peu vite. Salut. Greg. »

Soulagé, il déchira la page, la plia en deux et la posa sur la cagette vernie qui lui servait de table de nuit. Cette courte missive resterait là des mois et des mois avant de passer au panier. *À quoi ça servirait que je lui donne ça ?*

Mathieu

— Comment va Mathieu aujourd'hui ?

— Mal… hm… pas gormi.

— Ah. Après une petite toilette et un massage, ça ira mieux. D'accord ? Allez. On va dans la salle de bains ?

— Non !

— Ben, qu'est-ce qui se passe, ce matin ? Un coup de calcaire ?

— Marre me traîner… hm… jours et jours, gestes mêmes encore, comme poisson de quarium.

— Mais non, Mathieu, les poissons de votre aquarium resteront toujours des poissons. Vous, vous pouvez faire plein de progrès.

— Non ! Comme avant… hm… coujours tirer corde, concentre et des fois papa venir surveille… hm… surveille, oui, voir si fils est digne de nom, travaille bien, répètre, concentre, acoute… hm… compte à dix et hop… hm… compte à cinq et hop, que ça dans l'vie, que ça, soumis de père… hm… inspecte contrôle surveille et félicite cadeaux, vec l'argent aussi pouvoir faire tout et retourner les gens, vec l'argent… hm… restau tous les trois, vacrances… hm… tous les trois, voyages… hm… tous les trois coujours et pas d'vie dehors famille... mais besoin d'enfuir, moi, viv' ailleurs, rencont' autres choses... hm... moins fermées, et rire, et temps libre vec filles aussi, jamais filles... hm... coujours contrôle sorties et... hm... jamais filles ni copains, je viens tout blanc dans l'tête vide et pas d'envie, à force les filles regardent moi travers... hm... transparent... j'essaie dire à lycée que c'est pas l'arc seul dans ma vie et... hm... veux aussi d'autres mais personne acoute, anormal déjà avant, lors anormal vrai jourd'hui. N'en veux à mon père plus encore avant, avant que ceux n'agressent et cassent ma colonne, plus avant encore n'en veux... hm... sa faute que j'a pas force de défendre... hm... papa coujours sourit vec d'autres à la maison, invités, les repas, visiter l'autour, fleurs et travaux d'avance... hm... et mama qu'est là trop maquille et dire qu'elle se sent pas travailler cause du fils, car fils... hm... besoin d'a mange le aliment harmonieux, bio qu'a dit, harmonie, là, famille de l'harmonie n'où tout va bien... hm... et me mande à montrer l'arc... hm... de l'exhibe, fier du fils et tout bordel faux cul et moi sourire, pauv' con ! Mais l'agresse tombe en logique à sortie entraînement d'arc, peux pas défendre... hm... sais pas dire, quoi ? courir ? batte ? faire semble méchant ? m'a laisse frap, c'est tout, pas même vu leurs têtes, oublié. Lui, papa... hm... que dire coujours qu'est l'utile savoir batte en la vie, lui, l'a jamais de peur, calme et principes. Résultat...

25 septembre

Le maire de Nogent, Henry Bourges, très prévoyant sur le plan de la sécurité et de l'information de ses administrés, avait convoqué une réunion préparatoire à la conférence de presse de 18 heures. Ses principaux collaborateurs étaient présents : Jacques Fricot, premier adjoint, Jean-Claude Pacis, adjoint à la tranquillité publique, et Rolande Viat, chargée du tourisme ; ainsi que cinq membres de l'Association des commerçants du quartier Mutin (Acqmu), tous conseillers municipaux. Florian Bartigiano, adjoint au commerce et à l'artisanat, dauphin du maire, premier sur la liste sans étiquette pour les prochaines élections locales, s'était installé à sa droite, en compagnie d'une brochette de colistiers, parmi lesquels le marchand de jouets de la rue Molière et le kiné de la place Boulin. Les capitaines Dumollet et Faquin avaient pris place autour de la grande table du conseil. On attendait Garand.

Les bistrotiers Denis Bouchon, de la place Mutin, et Bertrand Caperet, du *Relais des Chasseurs*, échangeaient sur la nécessité de multiplier les caméras de surveillance dans le secteur de la cité du Bas « où qu'y a du déchet non recyclable », tandis que Corinne et Hervé Coquerot, gérants du magasin d'électroménager de la rue Molière, patientaient, les mains posées bien à plat sur le chêne ciré. Michel Régot, marchand de jouets et voisin des Coquerot, s'était naturellement assis au côté de François Muserat, l'adjoint à la jeunesse et aux sports. Ils théorisaient ensemble autour de l'opportunité d'organiser des interventions pédagogiques dans les écoles de Nogent, sur le thème de la sécurité, de la violence et de la vigilance.

— Peut-être pourrions-nous commencer, suggéra Régot en se tournant vers son ami Coquerot.

Coquerot donna son assentiment : son épouse avait enfermé leur progéniture à triple tour dans l'appartement, au-dessus du magasin, alors autant s'y mettre. C'est par solidarité commerçante que Michel Régot était intervenu.

Henry Bourges se pencha vers Jacques Fricot.

— On commence, ou on attend ?

— Faudrait pas être en retard à la conférence, répondit le chargé des finances.

Le maire tapota sur la table avec le capuchon de son Waterman afin d'obtenir l'attention de l'assemblée.

— S'il vous plaît… Quelqu'un peut-il nous éclairer sur le retard du commandant Garand ?

— Tout à fait, monsieur le maire, répondit le capitaine Dumollet, au garde-à-vous. Le commandant Garand était en communication téléphonique…

— On n'a qu'à commencer, bondit Bertrand Caperet. Toute façon, s'il était là plus souvent et quand il faut, y aurait peut-être moins d'problèmes !

— Le commandant Garand prend très à cœur…, tenta Dumollet, mais sa voix fut engloutie par le brouhaha général, chacun commentant avec enthousiasme les propos du cafetier.

On se parlait entre voisins, on s'interpellait d'un bord de la table à l'autre. Lors des débordements vulgaires de la frange populiste, Régot et Muserat, en bons spécimens de la petite bourgeoisie nogentaise, mettaient un point d'honneur à garder le silence aussi longtemps que possible. Mais quand les outrances de Caperet et de ses amis dépassaient les limites de la bienséance, ils haussaient le ton à coups de formules du type: « Haine d'aucune sorte n'est méthode efficace. » Parfois, ça marchait. Régot ouvrit la bouche, sans succès, lorgna d'un œil complice du côté d'Henry Bourges, enchaîna moues offusquées et soupirs d'impuissance, fit une messe basse dans l'oreille de son voisin – « Ça suffit, écoutons-nous, ne perdons pas de temps » –, croisa les bras ostensiblement, le sternum en avant, pour signifier qu'il avait d'autres priorités que le crêpage de chignon.

Dans la confusion, le capitaine Faquin, un clone de Caperet, l'uniforme en plus, postillonna sur le profil de son collègue Dumollet.

— Tu sais très bien qu'c'est vrai. Garand est une feignasse. Pourquoi tu l'défends ? C'est ton syndicat qui te monte à la tête ?

— C'est pas un syndicat, c'est un comité…

— S'il vous plaît, coupa le maire, nous allons commencer. Le commandant Garand prendra les débats en cours. S'il vous plaît. Bien. Deux victimes en moins d'un mois dans notre ville, des journalistes plus ou moins bien renseignés, des rumeurs, des supputations… Je ne peux plus faire un pas dans nos rues sans en entendre, passez-moi l'expression, des vertes et des pas mûres ! Alors, premièrement, notre objectif, j'espère que vous êtes tous d'accord, est d'éviter la psychose. Je refuse que Nogent devienne le théâtre d'une peur aussi générale qu'irrationnelle. Ensuite, je dirai tout à l'heure à la presse que j'ai une entière confiance en notre brigade départementale de gendarmerie et, enfin, je souhaite que nous restions tous vigilants. Notre image, chers amis, dépend de la manière dont nous assumons nos responsabilités. Soyons concrets et pragmatiques. Je n'accepte pas que les Nogentais soient des cibles potentielles. Donc, est-ce qu'on peut faire un point sur l'enquête ? Capitaine Dumollet ?

— Oui, eh bien, pour l'instant, les recherches montrent que nous aurions affaire à une personne agissant seule. Aucun lien n'a encore été établi entre le crime du canal et celui de la rue de la Beaune, mais le commandant Garand a demandé, aujourd'hui même, une analyse comparative des traces de pneus laissées sur les deux scènes de crime…

— Et pourquoi n'a-t-il fait cette demande qu'aujourd'hui, je vous prie ? réclama Jean-Pierre Romain, l'adjoint à l'urbanisme.

— Parce que le premier crime était signé, répondit Dumollet d'un air coupable.

Apnée collective.

— Depuis quand le savez-vous ? interrogea le maire, interloqué.

— C'est très récent…, fit Dumollet alors que le capitaine Faquin soupirait longuement.

— Ça ne va pas arranger nos affaires, nota Rolande Viat.

— Pourquoi dites-vous qu'il n'y a pas de lien entre les crimes, s'ils sont signés tous les deux ? demanda Michel Régot.

— Des expertises sont en cours..., bafouilla Dumollet.

— Si je peux me permettre, coupa Faquin. On aurait plus de moyens si on serait dirigés autrement, et peut-être moins de criminels en liberté. Qu'est-ce qu'il fout, ton commandant ? ajouta-t-il en postillonnant une fois de plus dans les esgourdes de Dumollet.

— Admettons, ponctua Jean-Claude Pacis avec un léger agacement. Mais peut-on vraiment dire ça à des journalistes ?

— Je dis juste qu'il nous faut du renfort, c'est tout, souffla Faquin.

— Je ne suis pas sûre que cela rassurerait les habitants de voir des gendarmes partout, opina Joëlle Copin, adjointe aux affaires sociales. C'est une décision à double tranchant. La conférence de presse doit servir à apaiser les esprits. Il faudra relativiser. N'est-ce pas, capitaine Dumollet ?

— Oui, nous n'avons que très peu de pistes. Il nous est difficile d'anticiper.

— Alors on n'anticipe pas, et demain on ramasse un nouveau cadavre ! rugit Bertrand Caperet. Avec Delive et Bouchon, on a toujours dit qu'il n'y avait pas assez de caméras. Voilà le résultat !

— C'est sûr, appuya Marc Delive, le boulanger de la rue du 14-Juillet. Et pis, l'commandant Garand, je m'escuse, mais c'est pas en mangeant quatre croissants d'affilée avant d'aller sur les enquêtes qu'il va courir plus vite ! Chaque fois, c'est pareil.

Marc Delive faisait manifestement partie de ceux qui n'auraient pas hésité entre résistance et collaboration, en cas de retour des Boches.

— Dire *chaque fois* est peut-être exagéré, fit Michel Régot.

— Oui, ben, suffit d'une fois ! rétorqua le boulanger. On sait très bien où ils sont, les voyous, on n'a qu'à aller les chercher !

— C'est pas faute d'avoir prévenu, ajouta Denis Bouchon. Quand on dit qu'y a un problème à la cité et qu'on fait rien du tout, faut pas s'étonner !

— S'il vous plaît, soyons raisonnables, ne stigmatisons pas sans preuve, lança le maire en bon responsable de la paix sociale. J'ai demandé aux forces de police d'accentuer leur présence aux abords de la cité du Bas. Alors, je vous prie encore une fois, malgré les tensions bien compréhensibles, d'être raisonnables. Nous devons renvoyer l'image d'une équipe municipale unie. Capitaine, a-t-on une idée du mobile ?

— Une chose est sûre : ce n'est pas pour l'argent. Bartavel et Giacomet étaient chômeur et employé à temps partiel. Ils n'ont été dépossédés de rien...

— Pourquoi le corps de Rémy Giacomet a-t-il été déposé devant l'entrée de Pôle emploi ? insista le maire.

— Pour l'instant, nous n'en avons aucune idée, répondit Dumollet. Nous trouverons la réponse quand nous aurons décelé les vraies intentions du criminel. On peut penser que le tueur dépose ses victimes dans des lieux en rapport avec leurs activités préférées. Guillaume Bartavel, par exemple, a été retrouvé au bord du canal, où on le voyait souvent en train de pêcher. Mais pour Rémy Giacomet, c'est plus mystérieux. Il travaillait – alors, Pôle emploi...

— Un mi-temps à la mairie, précisa Fricot.

— C'était déjà ça. Par les temps qui courent..., fit Muserat, l'adjoint à la jeunesse.

— Quand on veut travailler, y a des moyens, jugea Caperet.

— Bien, l'heure de la conférence approche. Qu'est-ce qu'on ajoute à l'information concernant directement l'enquête ? demanda le maire.

— Je pense qu'une info sur l'augmentation des effectifs de police serait la bienvenue, observa Pacis.

— Et que le budget pour les nouvelles caméras sera soumis au vote la semaine prochaine, compléta Fricot.

— Très bien, conclut le maire.

— On accepte que des manouches installent leurs caravanes et leurs Mercedes toutes neuves sur les terrains de La Villette, et après faut payer des caméras, râla Denis Bouchon, pressé d'en découdre.

— La merde, c'est pas la peine d'aller la chercher très loin, aggrava Caperet.

— On la connaît, la famille Bartavel, ajouta Monique Delive.

— S'il vous plaît...

— Aujourd'hui, j'ai eu dix clients pour des alarmes, chanta Coquerot sur un air faussement dramatique. C'est pas que je me plains, mais c'est toujours les mêmes qui paient.

— Les gens apprennent à se protéger de manière autonome, répliqua Romain, le spécialiste du bétonnage. C'est plutôt bon signe. On ne peut pas mettre un gendarme derrière chaque habitant. Être vigilant, parvenir à sécuriser ses biens et, surtout, rester calme, ne pas colporter de rumeurs, je crois que c'est cela qu'il faut dire à la population. Les gens ont besoin de messages forts. Ils doivent se sentir soutenus par les autorités, sans attendre d'elles des miracles. Sinon, on en fait des assistés incapables de se défendre. Qu'en pensez-vous, Henry ?

—Je vais tout à fait dans votre sens, Jean-Pierre. Ne dramatisons pas. Les Nogentais doivent nous faire confiance. La balle est dans notre camp.

—Tant qu'elle est pas dans la tête d'un des nôtres..., balança Caperet, très en verve.

—Oh...

—Faut s'y attendre, si on n'agit pas ! prévint Faquin, qui n'en pouvait plus de se taire. C'est pas parce qu'on n'est pas à Paris qu'y a pas d'la racaille à Nogent. Je la croise tous les jours. Et j'peux vous dire qu'y en a qui sont parfois à deux doigts de m'tirer dans l'dos. Qu'est-ce que vous croyez ? Qu'on va arrêter le criminel à la maison d'retraite ?

—Capitaine Faquin, s'il vous plaît...

—Excusez-moi, monsieur le maire, mais, en tant que représentant de l'ordre, j'avoue mon inquiétude. Rien que cette semaine, déjà : un camion et une voiture retrouvés carbonisés, une bagarre nocturne sur la place du marché et une tentative de cambriolage. Ils sont plus nombreux que nous ! On peut pas faire face ! Surtout quand des éléments de notre hiérarchie démontrent chaque jour leur incompétence.

—Je laisse mon collègue assumer seul ces propos, précisa le capitaine Dumollet.

—J'assumerai. En haut lieu, s'il le faut.

— Bien, cela ne fait pas partie du débat, coupa le maire. C'est l'heure de la conférence. Je vous propose une courte pause avant d'enchaîner.

*

— Bonsoir, Jean-Louis François, de *La Beauce républicaine*. Pour commencer, commandant Garand, pouvez-vous nous dire sur quelles pistes vous travaillez en ce moment avec vos hommes ?

Le dos voûté au-dessus de la table couverte d'un tissu noir, les pieds croisés sous sa chaise, la moitié du visage cachée derrière ses mains jointes en conque l'une sur l'autre, les paupières plissées et le regard fixé sur la brochette de correspondants des gazettes locales, le ventre tendu par le stress sans que cela transparaisse sur ses traits, Paul Garand, cent vingt-trois kilos, ne bougea pas d'un poil et laissa un silence lourd envahir la salle des réceptions. Autour de lui, les adjoints ne cillaient pas. Le silence se prolongea de longues secondes. On commença à tiquer. Henry Bourges se pencha vers le commandant.

— Vous avez entendu la question ? chuchota-t-il.

Garand décompta mentalement de cinq à zéro, se redressa et posa ses grosses mains devant lui.

— J'ai entendu la question, répondit-il.

Le silence s'alourdit encore. Henry Bourges grimaça discrètement.

Paul Garand connaissait ces regards pointés sur lui. Des fléchettes au curare. Faquin, les canines aux aguets, attendait qu'il se plante. Les commerçants nageaient dans le mépris. Quant aux élus de la République, ils ne croyaient plus une seconde aux capacités du gendarme : il était fini, hors course, sa carrière était en train de se terminer salement, dans la vase de sa dépression.

Mais sur le visage de Garand se reflétait un sentiment nouveau, indéfinissable. Nadine venait de lui lancer qu'elle le trouvait de plus en plus neurasthénique – ça ne passait pas. L'engueulade avec Grégory avait laissé des traces sur son teint blafard. Et, plutôt que de leur donner raison en prenant dix kilos de plus, il ressentait le désir soudain de surprendre, de provoquer. Par amour.

Les cadavres allaient s'amonceler dans les rues de Nogent. Il en était persuadé. Comme son fils. Alors, autant rire un peu avant le carnage en leur offrant ce qu'ils attendaient tous : pour les uns, se faire mousser grâce à des mesures aussi spectaculaires qu'inadéquates ; pour les autres, se vautrer délicieusement dans la psychose en désignant des boucs émissaires. C'est cela qu'ils voulaient : être ensemble, non comme des hommes, mais comme des hyènes. En meute. Les mâles défendraient leur territoire, leurs biens, leurs traditions ; les femelles protégeraient leur progéniture.

Garand voulait reconquérir la confiance de Nadine, celle de Grégory, et envoyer un message fort à l'assassin : « Vas-y, je capitule, la voie est libre. »

Il prit donc une brève inspiration.

— Je répondrai ceci : petit un, que nous n'avons aucune piste ; petit deux, que l'homme que nous recherchons connaît très bien la ville ; petit trois, que c'est un tueur en série et qu'il n'en est qu'au début. Merci de votre attention.

Les journalistes décollèrent le nez de leur calepin. Une cohorte d'anges traversa la salle. Au fond, face à la scène où

Garand jubilait, Grégory décolla son dos d'un des battants de la porte d'entrée. Il eut un léger sourire en direction de son père. Ce dernier se leva lentement pour prendre congé.

Jean-Pierre Romain, le regard en coin, tordit sa bouche vers Henry Bourges.

— Il est complètement dingue !

Grégory poussa la porte et laissa passer son père. Clin d'œil complice du paternel.

— Alors, on s'le fait, ce restau ? demanda le flic à voix basse.

2 octobre

Suite aux déclarations intempestives du commandant Garand, les éditorialistes régionaux avaient rivalisé d'imagination. Leurs papiers avaient eu des répercussions non négligeables sur la vie quotidienne des Nogentais. On s'était abreuvé à ces sources d'encre tourmentées, on avait nourri sa peur au biberon des manchettes catastrophistes, on s'en était même délecté.

Nombreux étaient ceux qui, désormais, hésitaient à mettre le nez dehors après la nuit tombée – cette hésitation ne changeait rien, au fond, à l'aphasie nocturne de la petite ville. Le matin, on y regardait à deux fois avant de quitter son chez-soi pour se rendre au bureau. On avait ajouté un verrou à sa porte déjà fort blindée, on s'était mis d'instinct à raser les murs, à marcher plus vite, à éviter les ruelles trop étroites. Jérôme Foisil, l'armurier de Nogent, prévoyait une augmentation significative de son chiffre d'affaires. Bref, de pied ferme, on attendait le meurtre suivant.

Les résultats des analyses comparatives des traces de pneus sur le canal n'encouragèrent pas à la détente. Il s'agissait bien d'un 4x4 – mais combien de ces véhicules étaient en circulation dans l'agglomération, les bourgs et les hameaux environnants ? « Trop ! » grogna Paul Garand en ordonnant tout de même qu'on épluche méthodiquement les fichiers préfectoraux et qu'on identifie les conducteurs d'écrase-bouses ayant eu maille à partir avec la justice les cinq dernières années : Fabien Dumerche, un pirate de la Carte bleue reconverti dans les assurances ; Gérard Gravaud, un garagiste malhonnête par vocation ; Gilles Degreux, un exhibitionniste repenti ; Marc Hatier, l'employé pyromane de l'usine de papier recyclé. Tous avaient des alibis en béton. Retour à la case vide.

Sur le bureau du commandant, les lettres anonymes s'empilaient. On y accablait l'amant, on y accusait la maîtresse, on y dénonçait le voisin sur la bonne foi de l'article suivant : « L'arrêté du 20 janvier 2006 permet de rémunérer les informateurs, à savoir toute personne étrangère aux administrations publiques qui leur a fourni des renseignements ayant amené soit la découverte de crimes ou de délits, soit l'identification des auteurs de crimes ou de délits. » *Ça fleurait bon la vieille tradition française. L'ambiance se détériorait à vue d'œil.*

*

Dans le bar-tabac de Denis Bouchon, c'était l'heure de l'apéritif fondamentaliste. Hervé Coquerot, dans sa blouse verte de réparateur de lave-vaisselle, et Michel Régot, armé de son parapluie noir, venaient de fermer boutique. Ils entrèrent dans la gargote, le dos courbé par la pluie. Une brochette de piliers plus ou moins stables n'en finissaient pas de fustiger les météorologues, les Turcs du quartier de la Madeleine et les joueurs de l'équipe de Saint-Gobert qui avaient infligé une défaite retentissante au Football club nogentais, le dimanche précédent (4-0).

— C'est leurs négros qui marquent les buts ! Tu parles !

— Ouais, ils courent comme des lapins, ils ont jamais soif. C'est pas du jeu !

— Nous aussi, on en a un…

— D'accord, mais il vient de Guadeloupe. Et la Guadeloupe, malgré tout, c'est la France.

— À Saint-Gobert, c'est des vrais, les négros !

Dans son jeans à deux cents euros, Florian Bartigiano avait un faible pour l'immersion dans les milieux « populaires ». Tous les midis, il sirotait son kir chez Denis, avant de se rendre à *La Coupole*, la brasserie cossue de l'avenue de Paris. En élu proche du peuple, il aimait se fondre dans cette masse tristement monochrome. Ambiance chaude et paysanne. On causait de choses simples avec des mots simples. Bartigiano jouissait de se sentir entouré de ses futurs électeurs. Ce jeune requin était tellement avide de reconnaissance, d'applaudissements et de pouvoir que ses dents rayaient les parquets de l'hôtel de ville.

L'adjoint au commerce se fit offrir un second kir par Coquerot. Jérôme Foisil les rejoignit bientôt, s'enorgueillissant du futur succès, « si tout va bien », d'un nouveau produit : le pistolet d'autodéfense Gom Cogne 54 Double Action.

— Avec ça dans la poche, on se promène tranquille. C'est pas du joujou ! lança-t-il à l'attention de Michel Régot.

— Je veux bien te croire. Je ne suis pas un spécialiste de l'autodéfense.

Le volume des discussions baissa soudain d'intensité. Un inconnu, pénétrant dans l'établissement, se dirigeait vers le coin tabac. Grand, large d'épaules, élégant, les muscles saillant sous le tissu bleu de Prusse de sa parka, son continent d'origine, d'après une analyse rapide du faciès, était sans équivoque celui des buteurs de Saint-Gobert.

— V'là l'Obama d'service, chuchota David Duvorcher, devant son demi au comptoir, dans l'oreille de Bertrand.

En ressortant, l'Africain croisa un Blanc qui n'en était pas à son premier bistrot, mais tenait encore à la verticale. Ils s'excusèrent mutuellement sur le seuil, l'un laissant passer l'autre.

— Moi, j'serais gendarme, j'sais où qu'j'irais traquer les criminels, s'autorisa le Bertrand, dont l'alcoolémie avoisinait le chiffre de son quotient intellectuel.

— C'est sûr qu'y a des endroits où qu'ça grouille, enchérit son alcoolyte.

Le trentenaire blanc commanda une bière et posa un regard lourd sur les deux délicats. Bartigiano espérait avec fièvre le coup d'envoi du débat philosophique portant sur les notions, en étroite liaison selon lui, d'étranger et d'insécurité, afin de pouvoir y jeter en toute innocence son grain de sel et de se constituer un électorat solide auprès de ceux qui se trompent de colère.

— C'est vrai, quoi, suinta derechef le BHL beauceron, si qu'on va pas les chercher où qu'ils sont, où qu'on va ?

— Dans ton cul, suggéra le jeune homme à la bière.

S'ensuivit une série d'onomatopées et d'interjections offensées plus ou moins intelligibles, accompagnées de gestes tranchants, pointants, écrasants et claquants de la part du philosophe, désireux de prononcer une phrase suffisamment construite, du style : « D'où qu'c'est qui m'cause comme ça, ce pignouf ? », mais trop en état de choc pour s'adonner à la littérature de zinc.

Denis Bouchon, sur ses gardes, observait la scène. Les clients du bistrot s'assombrirent d'un sourire jaune.

— Y en a qu'on n'a jamais vus et qui se permettent ! lança un vieux rougeaud, au bout du bar, le nez coincé dans le pastis.

Duvorcher, offusqué, s'approcha de l'impertinent avec un air bon enfant.

— Si je serais pas d'bonne humeur, j't'aurais déjà foutu sur la gueule. Mais t'es un pote, pas vrai ?

Le pote en question vida son demi d'un admirable trait.

— Si j'étais, dit-il.

— Pardon, jeune homme ?

— Si *j'étais*... pas de bonne humeur, etc. Quand on sait pas aligner deux mots, on ferme sa gueule.

L'énorme poing de David Duvorcher s'abattit sur la figure de l'intrépide, qui répondit presque aussitôt, tel un bélier, en enfonçant le gros bide. Denis Bouchon, voyant ses verres voler et ses bouteilles se fracasser, se réfugia à quatre pattes derrière son bar. Un tabouret siffla au-dessus de sa jeune calvitie. Les clients se protégèrent comme ils purent des projectiles et des coups manqués.

Le philosophe et le grammairien se ravageaient le portrait à coups de barreaux de chaise quand Michel Régot et Hervé Coquerot entreprirent de leur faire entendre raison. « Enfin, tenez-vous, messieurs ! Soyez raisonnables ! Quel spectacle donnez-vous là ! La violence ne résout rien ! C'est l'anarchie ! » Une patrouille de quatre gendarmes bien inspirés, que le hasard avait déléguée sur le champ de bataille, intervint pour tenter d'interrompre l'échauffourée. Le jeune homme mal élevé fut claqué, maîtrisé, menotté, embarqué. Duvorcher reprit ses esprits, et la même chose.

— Vos conneries, ça m'coûte cinq bouteilles et une quinzaine de verres, râla Denis Bouchon, le balai à la main. Vivement qu'ils le trouvent, leur assassin, parce que ça commence à m'faire chier, c't'ambiance !

Sur ce, Florian Bartigiano, absolument enchanté par la rixe impromptue, conclut qu'il y avait « beaucoup de travail dans cette ville » et que, « le moment venu », il saurait « répondre aux attentes. Pour les Nogentais, pour leurs enfants et les miens, bien sûr ! ». Puis il s'en fut vers les cieux plus cléments de *La Coupole*, dernier lieu public où l'on pouvait encore causer du tueur d'une voix raffinée sous des abat-jour orangés, dans de délicates alcôves, en sirotant un cognac – « un Martell, s'il vous plaît, le préféré d'Henry Bourges ».

L'ambitieux Bartigiano avait tout compris au pouvoir, ses mécanismes et ses objectifs secrets. En un mot, il n'avait aucune réticence à détourner le désir des masses de ses aspirations naturelles (sérénité, plaisir, amour et vie collective), pour répondre à l'enjeu fondamental de la domination gouvernementale : l'autoalimentation du pouvoir et sa perpétuation infinie, au-delà des clivages anecdotiques des mascarades électorales. Les meetings festifs et pipolisés, la réquisition des médias et la création d'un ennemi de l'intérieur sont des méthodes ; l'immersion dans le populaire et la conférence informelle en sont d'autres, surtout dans les petites villes de province, où la proximité géographique des élus est une réalité. Dans tous les cas, se montrer, être acteur et réalisateur de son propre film sans payer les figurants et faire flèche de tout bois, celui des situations dramatiques étant le plus tendre.

*

Grégory baissa le rideau de fer du magasin de sport en fin de journée, sans avoir croisé un seul client. Il pleuvait toujours. La lune perçait timidement les nuages.

Il grimpa les quatre étages de son immeuble, repoussa la porte derrière lui et jeta son blouson sur le dossier du fauteuil. Il lorgna par la fenêtre du salon. Elle était là, dans le jour finissant. Dans deux heures, il lui rendrait visite.

Grégoire débarqua vers 21 h 30. Il portait un grand bonnet péruvien plein de moutons et des bottes de caoutchouc noires.

— Ils rajoutent des caméras dans le quartier d'la Madeleine et en centre-ville. T'es au courant ?

— Vaguement…, répondit Grégory, qui entamait les réglages de sa nouvelle lunette.

— Sous escorte policière, en plus !

Grégoire avait été le témoin d'une scène assez cocasse : le boulanger Delive, sa femme et leur fils, un adolescent d'une vingtaine d'années, dopé à la Play Station et promis à un avenir de pétrin, étaient sortis sur le trottoir afin de participer à l'installation d'une caméra sur la façade de leur commerce. Des gendarmes zélés protégeaient les techniciens tandis que Marc Delive criait : « Plus à gauche, plus à droite », « Attention, mon enseigne ! », « Dirigez bien votre machin sur l'entrée »… La saynète ayant provoqué un léger attroupement, le boulanger avait augmenté la théâtralité de son intervention par l'orgueilleuse réaffirmation de son statut de citoyen responsable. Il était fier d'être le commerçant le plus protégé de Nogent, fier de son couple publiquement soudé, fier de son fils qui n'avait pas attendu le bac pour quitter l'école « où qu'on apprend rien d'la vie », fier de son épouse qu'il avait réussi à pénétrer la veille (un long moment de concentration, d'excitation et de mots appropriés lui était nécessaire pour atteindre l'érection adéquate et, neuf fois sur dix, Monique Delive s'endormait, la main sur le sexe flasque de son boulanger de mari). Jason (prononcez Djézeune), lui, avait passé son temps à reluquer les flingues de la maréchaussée.

— Ils savent que ça sert à rien, mais ça rassure les vieux, dit Grégory.

— Ouais, ben, ça pue…

Certains gendarmes parmi la cinquantaine que comptait la compagnie profitaient de la situation, au nez et à la barbe de leur commandant. Faquin en tête et en plein état de grâce depuis la conférence de presse. Petites agressions de routine envers les habitants de moins de vingt-cinq ans, contrôles au faciès aux abords de la cité du Bas, interrogatoires suspicieux des quelques clochards de la ville. Les badauds, se retenant d'applaudir, y voyaient les mesures prudentes d'une autorité bienveillante et responsable.

— Hé ! C'est nouveau, c't'engin ! enchaîna Grégoire, devant l'énorme lunette astronomique toute neuve.

— Yes. Et on va tester sa puissance tout de suite, sur notre satellite préféré…

Grégory colla son œil au viseur et y resta vissé pendant un bon quart d'heure, en proférant d'hallucinants jurons. Il n'avait jamais vu la Lune d'aussi près. Il admirait la multitude des cratères éternels creusés par les météorites, les zones montagneuses sur des dizaines de milliers de kilomètres, les gigantesques étendues sombres et basaltiques qu'on appelle les mers lunaires, non pas d'eau, mais de lave millénaire. La mer de la Tranquillité, celle de la Sérénité et la petite du Nectar. Il survolait les volcans éteints, leurs planchers de feldspath et d'olivine en bouchon de cheminée, leurs monticules noirs, leurs bordures vertigineuses, leurs éjectas en rayons et leurs noms : Theophilus, Alphonsus, Copernicus, Lambert, Archimedes. Il scrutait Artémis, Lune des Grecs, dans son manteau de débris, de roches et de poussières, son régolite d'éclats. Elle lui dévoilait ce soir le grain de sa peau si nettement qu'il en eut les larmes. Il était loin de Nogent.

Grégoire, pour sa part, en collant son œil au viseur, pensa à la peau de Magali. Ses légers accidents comme autant de pores délicats, ses ridules en manière de cours d'eau asséchés, son granulé, son duvet, ses poils clairs qui dessinaient la calligraphie de lettres rondes. Il prononçait souvent ces lettres en les photographiant : des œufs, des ailes, des culs, désert, déesse d'été. Mais ce qu'il allait découvrir, quelques instants plus tard, allait avoir des conséquences incalculables.

— Greg, j'ai que du rouge, c'est possible de… dégrossir l'image ?

— Sers-toi du zoom. Le bouton du haut, à droite de la netteté.

— OK, fit Grégoire en diminuant progressivement la portée de l'objectif.

Des éléments, encore trop abstraits, apparurent. Il recula de nouveau. Une grimace lui tétanisa le visage.

— Greg… Greg, je crois que… GREG, putain !

— Pourquoi tu gueules, man ? La zique est trop forte ? *Lucy in the Sky*, ça s'écoute comme ça ! « Lucie dans le ciel avec des dia-amants ! » chanta Grégory.

— Éteins ça, bordel ! C'est la vieille ! La vieille est morte !

Grégory se précipita et colla son œil au viseur.

— Putain ! C'est quoi, ce merdier ? Elle a du sang qui sort de la tempe !

— Regarde de plus près, tu vas voir, c'est un trou !

— Mais non…

— Si ! Elle a été descendue ! Elle a les yeux ouverts !

*

Prévenu par son fils vers 23 h 15, le commandant Garand débarqua sur les lieux avant tout le monde, pour une fois. Il retrouva les deux garçons sur le trottoir, devant l'entrée de l'immeuble. Ne possédant pas le code, ils furent contraints de sonner chez les Coquerot. Mais, à Nogent, personne n'ouvrait plus sa porte à quiconque, qui plus est en pleine nuit. Finalement, Corinne entrebâilla la sienne. Elle était seule. Hervé était allé enterrer une vieille tante par alliance, quelque part dans le Sud. Elle appela Michel Régot, propriétaire du petit appartement où logeait madame Fermier, au-dessus du magasin de jouets. Il vint aussitôt avec un double des clés. On l'avait, semble-t-il, tiré du lit. Mais il ouvrit la porte, aimable et au service de l'autorité.

Et le commandant Garand s'arrêta au-dessus d'un troisième cadavre.

11 octobre

Malgré les événements et la chape d'angoisse qui recouvrait la ville, ce 11 octobre restait jour de marché. Sur la place, au bout de la rue Molière, une foule en camaïeu de gris se mouvait rapidement entre les étalages de la halle aux bestiaux.

Les Nogentais piétinaient dans les allées, la main agrippée au cabas ou au chariot à roulettes, le sac en bandoulière coincé sous le bras. Une charge invisible semblait peser sur les épaules des plus vulnérables, on lorgnait autour de soi, avec plus ou moins de discrétion. On se retournait sur l'étranger, le nouveau, l'inconnu, le mal peigné. On octroyait aux gendarmes d'astreinte un sourire aveugle. On matait d'un sale œil les trois manouches « avachis » derrière leurs paniers d'osier. Des bombes lacrymogènes ou des pistolets d'alarme poireautaient au fond des poches. On faisait illusion en gloussant, en se pressant aux étals d'un air débonnaire ou débordé, en choisissant avec sérieux son filet de légumes de saison, son rouget ici, son chèvre cendré là. Dans les files d'attente bavardes, le lieu commun du poissonnier rivalisait avec le truisme du charcutier.

— Si c'est pas malheureux d'mourir comme ça, bêtement !

— Vous croyez qu'on peut mourir intelligemment, m'ame Desnairs ?

— Ça…

— Trois morts en un mois et demi, ça commence à faire, t'à l'heure.

— Moi, j'espère qu'ça ira vite. Comme ça, au moins, quand c'est fait, c'est fait.

— Y en a un kilo deux. On laisse comme ça ?

— Elle était encore en forme, m'ame Fermier. J'la connaissais bien…

— Ils disent « un accident », ben… si ça s'trouve…

— C'est leur métier, quand même…

— Moi, j'dis c'qu'ils ont dit à la télé.

— Bouh ! Entre c'qu'ils disent et c'qu'y a !

— En tout cas, le Coquerot, il était introuvable, cette nuit-là. Comme de par hasard…

— Deux avocats, trois ! Deux choux-fleurs, trois ! Tout à trois, c'matin ! On en profite !

— C'est pas l'chef des gendarmes qu'arrive là-bas ?

— L'Garand ? Il maigrit pas…

— Y a déjà quelqu'un d'autre dans l'appartement du marchand de jouets.

— Oui, une jeune, j'l'ai vue, elle a l'air bien…

— Faut bien qu'ça serve.

— Elle faisait que d'lire, m'ame Fermier. Ça fait pas d'mal !

— L'a fallu qu'elle tombe !

— Paraît qu'y a pas d'signature, comme ils disent.

— Un accident, on vous dit.

Être là, tous ensemble, était l'expression implicite d'un désaccord fondamental avec l'idée qu'en cas de danger on doit se cloîtrer, s'isoler, se barricader seul chez soi. C'était aussi une manière de résister aux discours alarmistes, de minimiser, ensemble, l'ampleur des drames, de réaffirmer son appartenance naturelle au corps social. C'était aller chercher chez les autres la force qui manquait. La pleine conscience de ce qui se jouait sur le marché, ce samedi matin, n'était pas au rendez-vous, mais cela avait son petit air de solidarité collective. Chassez le naturel, il revient au galop.

Le commandant Paul Garand avait conclu à l'accident, et sa thèse avait été confirmée par les techniciens. La pauvre madame Fermier, âgée de quatre-vingt-sept ans, s'était pris les pieds dans le tapis du salon et sa tête avait heurté le coin de la table basse. Elle était morte sur le coup. Ce constat, largement relayé par les médias régionaux, avait eu pour conséquence directe un léger apaisement chez les Nogentais les moins enclins à l'affolement. Malheureusement, les professionnels du matraquage télévisuel ne reculant devant aucun amalgame, aucune ambiguïté, aucun rapprochement, si abusifs fussent-ils, leurs reportages des 3 et 4 octobre s'étaient achevés sur ces mots : « *Mais le tueur de Nogent-les-Chartreux sillonne toujours la région. Aucune piste sérieuse ne permet aujourd'hui d'espérer une prochaine arrestation.* » Par l'utilisation de la conjonction de coordination « mais », les responsables de l'information, théoriquement soumis à un devoir d'impartialité, ajoutaient une énième entorse à la déontologie de leur profession en établissant une corrélation entre des faits parfaitement étrangers. L'apaisement fut donc tout relatif chez les plus sensibles.

— Après, ils disent de pas avoir peur… Facile à dire ! C'est quand même un peu normal…

— En tout cas, c'est pas les journalistes qui retrouvent les tueurs !

— Ouais, ben, c'est pas les gendarmes non plus !

— Moi, je trouve ça plutôt rassurant que, parmi nous, il y ait des personnes qui continuent à vivre sereinement, à affirmer leurs opinions.

— C'est vrai, faut pas être des moutons ! C'est le système qui veut ça.

— C'est qui, ces deux-là ?

— Le marchand de bonbons et de friandises.

— Ah, de la rue Philibert-Peretz ?

— Oui. Et l'autre, c'est son… tu vois ben…

— Hmm…

— Ça s'montre, maintenant…

— Oh, ça passe même à la télé…

— Ben, mon vieux… La liberté, c'est pas qu'du bon…

D'autant que de nouvelles bourrasques avaient soufflé depuis l'hôpital psychiatrique Esquirol, une succession de blockhaus des années cinquante situés à deux kilomètres au nord de Nogent. Au cours du repas du soir, un psychotique nommé Stéphane Mangin, vingt-six ans et pensionnaire à vie, d'ordinaire atteint d'aphasie dégénérative, s'était précipité sur Sylvie Fontaine, cuisinière stagiaire depuis une semaine dans l'établissement, et lui avait enfoncé une fourchette en plastique dans l'œil. Les dents de l'outil avaient disparu dans la cavité oculaire, le sang avait giclé et Stéphane s'était mis à courir dans le réfectoire en hurlant, en vitupérant et en crachant partout. Avant de parvenir à le maîtriser, l'infirmier de garde avait essuyé, malgré sa stature de bûcheron canadien, un coup de tête d'une telle violence sur ses moustaches style Fu Manchu qu'il en avait avalé une de ses incisives. On était finalement venu à bout du furieux grâce à une camisole de force et une triple dose de Barnetil. Gémissante et le pouls à deux cent cinquante, Sylvie Fontaine avait été transportée à l'hôpital de Chartres, où on l'avait débarrassée des quatre dents de la fourchette… et de son œil droit.

Les journaux avaient relaté les faits avec moult détails, entre un article de fond sur les eaux usées de la commune de Validelles et un entrefilet sur les dégâts causés par les sangliers dans les cultures beauceronnes. Les conflits ancestraux entre les inventeurs de rumeurs, les colporteurs de fables, les partisans de la divagation hallucinée et les rationalistes, les indifférents et les philosophes avaient trouvé là l'occasion d'éclore, de déchirer la chrysalide du tabou.

— Il paraît qu'au service psychiatrique de l'hôpital, c'est la panique.

— Oui, j'ai entendu ça. Des malades ont des angoisses inhabituelles. Un médecin a dit qu'il était inquiet, que quelque chose s'est passé…

— Moi, je dis que ce tueur-là, c'est une femme !

Cet événement choqua profondément les malades et libéra des flots de panique. Certains pensionnaires traumatisés refusaient de se nourrir avec des couverts et se barbouillaient la figure de carottes râpées. D'autres avaient entamé une grève de la faim et se roulaient par terre comme des vampires brûlés de soleil. D'autres encore se réveillaient dans la nuit en hurlant à la lune et faisaient sous eux comme jamais.

Les médecins de l'hôpital durent prendre des mesures radicales : anxiolytiques, neuroleptiques, stabilisateurs, anticonvulsivants, antiépileptiques, psycholeptiques. On avait les moyens. L'armada pharmacologique viendrait à bout des plus récalcitrants.

Les peurs ancestrales resurgissaient.

— Les journaux en sont pleins, de ces choses-là, qui tuent.

— Ouais, mais ils peuvent s'enfuir facilement de là où ils sont, les déglingués.

— Qui peut dire qu'ils ne sont pas dangereux ?

On n'hésitait donc plus à exprimer ses convictions, ses fantasmes, ses phobies. Aucune sphère n'était épargnée. L'espace social, professionnel, politique et familial était devenu le théâtre de débats passionnés opposant radicaux et adeptes de la nuance.

— On n'est quand même plus au Moyen Âge ! Faut pas avoir peur comme ça !

— Ben tiens ! Il est pas si loin d'ici, l'hôpital !

— Il paraît même qu'ils vont installer des malades dans le centre-ville !

— Ben tiens…

— En tout cas, Esquirol, il est là et bien là, il dépend de Nogent et on est dans d'beaux draps, moi j'vous l'dis !

— Et si un fou s'échappait ?

— Et si le tueur, c'était lui ? Le fou ?

— Comment qu'on ferait ?

— Les fous, il faut les enfermer, les attacher, les punir.

— Et, surtout, ne plus les faire sortir !

L'ignorance ne cherche pas les solutions, elle les trouve. L'irrationnel est un piège si fascinant. Il recèle tant de légendes, d'allégories enfantines, qu'y glisser le petit doigt est déjà une aventure inoubliable. Loups-garous et feux follets, cimetières et diablotins, fantômes et squelettes… Ceci explique cela, pas de fumée sans feu, et hop c'est dans la poche. Alors que la science, elle, quel rabat-joie !

— Un malade mental, ça peut te péter à la gueule d'un instant à l'autre.

— Ils ont des têtes de possédés, ça se voit !

— Ils sont en lien avec les puissances…

— Hein ?

— Les puissances, le cosmos…

— Moi, des fois, j'ai peur d'être fou, mais… je fais attention.

— Ça, il faut être vigilant…

Au *Relais des Chasseurs*, Bertrand Caperet défendait ses droits et ses devoirs. Il protégerait sa famille quel qu'en soit le prix, coûte que coûte et vaille que vaille, nom de Dieu !

À quelques encablures de là, Marc Delive commentait : « Toute façon, moi, j'ai pas attendu qu'y ait un assassin pour avoir un fusil ! Et vu comment qu'ça s'passe de pire en pire, aux prochaines élections, je sais pour qui je voterai... »

Chez Jérôme Foisil, on chantait *Le Pont de la rivière Kwaï* avec entrain. Ces derniers jours, les ventes d'armes avaient fait un bond en avant suffisamment significatif pour que l'armurier passe de nouvelles commandes et anticipe sur son chiffre d'affaires de fin d'année.

À l'Acqmu, en revanche, les commerçants évoquaient les fêtes de Noël dans un mélange pessimiste et sans saveur de tout ce qui leur tombait sous le neurone : la crise, la peur, l'écrasement des bénéfices, la météo... Il n'y avait que Coquerot et Régot pour remonter le moral des troupes. Il fallait se serrer les coudes, lutter ensemble contre l'implantation du Village des marques, encourager les collègues de l'alimentation à baisser le rideau une heure plus tard, multiplier les remises, les cadeaux, les offres spéciales. « Regardez les deux Arabes de la rue Jacques-Brel, ils sont ouverts jusqu'à minuit tous les jours ! »

Au collège et au lycée, les professeurs tentaient de calmer les esprits en organisant des débats ou en filant des heures de colle – chacun sa méthode. Les vacances de la Toussaint tomberaient à pic.

À la compagnie, Paul Garand et ses subordonnés pataugeaient dans la semoule. Pas le moindre indice, ni le plus petit adminicule, pas plus de piste que de beurre en branche.

Grégory et son père se retrouvèrent à l'entrée de la halle.

— Salut, mon fils.

— Salut, Daddy.

—Grégoire n'est pas avec toi ?

—Je l'ai attendu, il est pas venu… Tu t'fais mater, Dad.

—C'est normal, je suis l'chef!

—T'es con.

—Tiens, Jean-Gabriel Angelo, le syndicaliste.

—Monsieur Garand, bonjour. C'est agréable de vous croiser en civil !

—Vous connaissez mon fils, Grégory ?

—On a dû se croiser. Un petit tract ?

—Tout à l'heure, je reviens, oui…, fit Garand en se défilant. C'qu'il est collant…

—Ça licencie chez Dulcis, Dad. T'es au jus ?

—Ouais. Enfin, j'te dis ça tout bas, mais leur poulet, c'est franchement d'la merde. Ils se battent pour garder leur usine, mais leur saloperie sous cellophane, ça file le cancer. Ils abattent les poulets à la chaîne, les trempent dans du chlore et hop, sous plastique ! Leur boulot est dégueulasse et ils veulent continuer ! J'comprends pas !

—T'es bien flic, toi !

—C'est pas pareil…

—Faut bien qu'ils paient la baraque, la voiture et les croquettes du chien.

—J'sais pas, ils pourraient saboter les machines, exiger de produire meilleur…

—Ça, Dad, question sabotage, t'as pas de leçon à recevoir…

—Bon, c'est pas l'tout, faut trouver des truites. Ce soir, je te fais des truites à la crème et à la ciboulette.

—Du poisson ?

—Pourquoi pas ?

—Comme ça…

— Bonjour, mon commandant.

— Tiens, Dumollet ! Ça fait du bien, une matinée de repos, n'est-ce pas ?

— Ce n'est pas négligeable, mon commandant.

— Elle est à toi, la marmaille en poussette ?

— Oui, il s'appelle Barnabé... Heu... Muriel, ma femme...

— Bonjour, Muriel. Bonjour, Barnabé. T'en as une grosse tétine, dis donc ! Dumollet, 13 heures au bureau, ça va ? Tu préviens Berthomme, Davier, Faquin, tout l'monde. Faut que j'remonte plus tôt, j'ai d'la bouffe à préparer. OK ?

— À vos ordres, mon commandant. À tout à l'heure.

Dumollet débloqua le frein de la poussette à trois roues et s'en fut tailler la bavette avec le syndicaliste de chez Dulcis.

— C'est qui, ce naze ? demanda Grégory.

— C'est pas un naze, Greg, enfin ! C'est un des seuls valables de la compagnie ! Les autres, ils sont soit débiles, soit nazis ! Il est peut-être pas futé, mais il est honnête. Et le cœur sur la main.

— Tiens, c'est pas le maire, là-bas ?

— Merde ! Avec sa bonne femme, en plus. Bon, il m'faut d'la ciboulette. Viens.

Paul Garand fera l'effort de n'acheter que deux truites. Il passera l'après-midi à la caserne avec son équipe, épluchera des dossiers, des fichiers, des registres et, après une longue conversation téléphonique avec le substitut du procureur, rejoindra ses fourneaux.

— Bonjour, Sophie ! Dites, les crottins de la semaine dernière, succulents !

— Merci, monsieur le maire.

— Mesdames, messieurs…

« Soutenez les salariés de Dulcis menacés de licenciement ! Solidarité avec les salariés de Dulcis ! La direction vient d'annoncer un plan social sur le site de Nogent. Cinquante licenciements secs ! Cinquante Nogentais à la rue ! Soutenez les salariés de Dulcis ! Grève illimitée à l'usine Dulcis ! »

— C'est pas assez content d'avoir du travail, faut qu'ça revendique et qu'ça fait la grève ! Ben mon vieux…

« Les bénéfices de l'entreprise augmentent de quatorze pour cent cette année grâce aux délocalisations vers le Brésil et la Roumanie. Défendez les travailleurs nogentais ! Signez la pétition contre le plan social ! Boycottez les poulets Dulcis ! »

— Monsieur Angelo ?

— Ah, bonjour, monsieur le maire. Tenez…

— Je suis au courant…

— T'as vu ? Il discute avec le maire. Il est encore bel homme, le maire, même de près…

— Je comprends votre colère. J'ai eu, ce matin même, votre directeur au téléphone, il est profondément désolé, lui aussi.

— Je sais. Les patrons sont tous *profondément désolés* de foutre les gens à la rue. C'est leur seul et unique argument depuis qu'ils existent. Vous savez, monsieur le maire, parmi les salariés visés, il y en a qui ont voté pour vous…

— Et j'en suis très honoré, croyez-moi. Mais c'est ça ou la fermeture définitive.

— C'est ce qu'il dit. Plus c'est dur, plus c'est la crise et plus ils en profitent ! C'est drôle, ça : pour sauver les banques, y a toujours ce qu'il faut. Et c'est les travailleurs qui sont responsables du trou de la Sécu. Vous ne trouvez pas que c'est marrant, monsieur le maire ?

— Oh non, monsieur Angelo, ce n'est pas en ces termes-là que ça se pose. Et vous allez vous mettre la population à dos si vous maintenez vos positions trop radicales.

— Qu'est-ce que vous proposez, monsieur le maire ?

— Je propose autre chose que la grève comme forme de dialogue. Vous savez très bien que c'est dépassé. Et bien malvenu, si vous voulez sincèrement mon avis. Dans une période où il est si difficile de trouver du travail, il est peut-être un peu maladroit de menacer l'équilibre d'une entreprise tout entière et les emplois qu'elle a générés. Il faut des négociations et, sur ce point, je vous soutiens, je l'ai dit. Mais, de grâce, ne déterrez pas la hache de guerre ! Installez-vous à la table...

— Nous étions prêts à négocier, monsieur le maire. Vous savez ce qui nous a été répondu. Maintenant, c'est le bras de fer.

Paul Garand videra les truites par les ouïes, parsèmera le fond d'un plat beurré d'échalotes hachées, déposera les poissons sur ce lit d'Ascalon, ajoutera un verre de blanc sec, un bouquet de ciboulette et vingt larmes de citron, il passera un coup de fil à Nadine pendant la cuisson, croisera son reflet de profil dans le miroir de l'entrée, jugera la rondeur de son ventre, se confirmera que des efforts sont nécessaires et se dira que, justement, des truites, il n'en a acheté que deux. Il les surveillera jusqu'à l'arrivée de Grégory, ouvrira à son fils en espérant un « ça sent bon », boira un demi-litre de thé glacé très sucré pendant que Grégory sirotera sa bière, et ils s'attableront dans la cuisine. Paul égouttera son poisson, ajoutera au jus de cuisson ses quatre cuillères de crème fraîche et laissera épaissir un peu. Grégory prendra des nouvelles de l'enquête, Paul répondra dans le vague et lui demandera s'il a réfléchi à ce que peut signifier cette étrange signature, SUGET 0, SUGET 1. Grégory répondra qu'il y réfléchit toujours, Paul déposera dans les assiettes quelques pommes vapeur et remplira le verre de son fils d'un blanc du Jura, ils sauteront du coq à l'âne, ne se disputeront pas ce soir, évoqueront tout à trac le travail au magasin, les anecdotes de la gendarmerie, Nadine, le passé, le futur, le célibat, le tueur, les gens, la nourriture.

—La petite était pressée de s'installer, alors j'ai dit oui, expliqua Michel Régot à Jean-Claude Pacis, qui passait par la rue Molière. Au décès de madame Fermier, j'ai mis une annonce et j'ai eu un coup de fil dès le lendemain. L'appartement n'est resté vide qu'une petite semaine. Je l'aimais bien, madame Fermier. Elle riait tout le temps. Elle lisait beaucoup. Une femme intelligente, qui avait gardé toute sa tête.

—Ça doit pas être jojo niveau papiers peints ?

—Ça lui est égal. Elle est jeune, elle va s'en occuper. J'achèterai le matériel.

—Je vous offre un coup chez Denis ? lâcha Hervé Coquerot en sortant de sa boutique.

— À cette heure ? C'est un peu tôt pour fermer ! fit Régot.

— J'ai personne. J'y vais, vous me rejoignez ?

Grégory s'en ira vers 22 h 30. Paul le regardera traverser l'avenue, s'éloigner, lui fera un coucou et s'endormira devant un documentaire sur la pêche en haute mer en avalant des tiramisus individuels.

— Tiens, paraît que Bartigiano va se désister pour les élections. Il s'est engueulé avec Bourges, dit Hervé Coquerot, le verre à la main.

— Conflit de générations, analysa Régot.

— D'intérêt, oui ! Il va monter sa propre liste comme tous les jeunes loups de la politique, fit Pacis en vieux loup de la politicaillerie.

— C'est pas ça qui va arrêter la crise ! Les gens n'achètent plus rien, s'inquiéta Coquerot.

— C'est vrai. Que des bricoles, répondit Régot d'un air sincèrement préoccupé.

— Pas avec ça qu'on va augmenter notre pouvoir d'achat ! T'as vu le prix des fruits ? enchérit l'électricien.

— On est pas les plus mal lotis. J'ose pas imaginer ce qu'ils bouffent à Paris ! relativisa Pacis.

— C'est la merde partout.

— Et il faut qu'un fou furieux rôde parmi nous ! conclut Michel Régot.

« Soutenez les grévistes de Dulcis en lutte contre les licenciements abusifs ! »

Grégory réintégrera son deux-pièces plein sud. Il appellera Grégoire, qui ne répondra pas. Il devinera les gémissements du couple du dessus, Stella et Stan, et appuiera sur la touche lecture de sa platine Arcam. Il écoutera *Revolver* en regardant le ciel, ira d'une étoile à une autre, restera plus d'une heure dans la nébuleuse d'Orion découverte en 1610 par Nicolas-Claude Fabri de Peiresc, puis il baissera la visée sur l'immeuble d'en face et remarquera de la lumière chez feu madame Fermier. Une fille dans un long pull-over maculé de peinture. Il la suivra des yeux. Elle déambulera dans son nouvel appartement, le téléphone collé à l'oreille, en riant aux éclats. Grégory l'observera longtemps et peut-être qu'il la trouvera belle.

12-13 octobre

Grégory avait épié la fille d'en face toute la soirée. Il avait joué du zoom sur le grain de sa peau, réduit au maximum la distance infranchissable entre leurs deux fenêtres. D'abord à l'œil nu, en légère contre-plongée, dissimulé derrière le rideau, il avait suivi les déambulations du corps, ses hésitations, ses arrêts, ses courbes, ses couleurs, la sensualité avec laquelle il captait fugitivement les lueurs nocturnes, ses disparitions. La jeune femme, vingt-cinq ans environ, était restée au téléphone jusqu'à 22 heures, en faisant les cent pas autour de son clic-clac à motifs asiatiques et en actionnant d'un orteil mécanique le variateur de l'halogène du salon. Elle avait entamé des cigarettes sans jamais les terminer, vidé un carton de livres, écrit quelque chose sur un carré de papier bleu turquoise, bu un grand verre de boisson sucrée, ébouriffé sa chevelure blonde et bouclée, et fait réchauffer un bol de soupe. Puis elle s'était absentée de longues minutes, pendant lesquelles Grégory, sans quitter la vigie, avait croqué dans une pomme et une tablette de chocolat noir fourré façon Tatin, histoire d'allier l'agréable à l'agréable. Elle était réapparue dans une tenue de nuit sans strass, les cheveux humides rassemblés en une tresse moelleuse, s'était allongée perpendiculairement à la fenêtre, les jambes l'une sur l'autre vers le ciel, la nuque calée sur le gros coussin de l'accoudoir, et s'était plongée dans la lecture de *No Logo*, un pavé de Naomi Klein.

Profitant de la relative immobilité de sa cible et bien qu'une lourde bruine se fût mise à tambouriner aux carreaux, Grégory s'était éternisé, au moyen de sa lunette, sur ces pieds qu'un rayon de lune venait frapper entre deux nuages engorgés. La glissade des gouttes découpait sur la vitre des lanières argentées qui se superposaient aux ridules fixes de cette peau lointaine. Poursuivant ses pérégrinations érotico-astronomiques, il avait ensuite entamé le chapitre des détails. Les doigts, les ongles, la gorge et le menton, un peu de duvet autour de la bouche, les sillons d'hiver sur les lèvres, la racine du nez, l'ourlet mince des narines, un œil, son iris, puis l'autre, des reflets gris-bleu autour de la prunelle noire, fragment de ciel circulaire où il s'était un instant enfoncé. La pluie redoublant et brouillant les macro-visions, il avait diminué la puissance du zoom et calé son image sur le rectangle de la fenêtre. Ce plan fixe l'avait occupé pendant une bonne heure.

Vers minuit, une pluie torrentielle s'était abattue sur Nogent. Quand la jeune femme s'était levée et approchée de la vitre dégoulinante, l'observateur avait prudemment éteint la lumière. Un moment s'était encore écoulé au spectacle des trombes d'eau, puis elle avait appuyé sur l'interrupteur. Alors Grégory était allé s'allonger sur son lit, les yeux ouverts vers les multiples fluorescences de son planiciel. Bercé par *Across the Universe*, il avait préservé dans son œil intérieur les effets de l'étreinte distanciée, les emprisonnant au tout profond de son âme afin qu'ils y perdurent, s'y renouvellent, se fondent dans sa chair et son esprit joliment tourneboulés ; l'étreinte, le resserrement de ces infimes parties de son monde à elle en un bloc de mémoire compact, ces images volées, l'étreinte, sans parfum et sans bruit, et le chant lent des bonheurs nouveaux, l'étreinte de l'étrangère.

*

Maintenant, il était 5 h 30 passé. Grégory et sa voisine dormaient. La pluie avait cessé. Tout était détrempé. Nogent-les-Chartreux s'éveillait dans l'humidité, les membres engourdis par l'automne et la banalité de sa nuit.

Monsieur Germain osa mettre un patin dehors. Il fallait rentrer la poubelle. C'est alors, dans la lueur de l'unique réverbère de la rue des Victoires, étroite et déserte, qu'il vit la *chose*.

— Il était là, en face, quand j'suis sorti, devant la porte du syndicat.

Jean-Gabriel Angelo, torse nu, allongé sur le dos, les jambes trempant dans l'eau stagnante du caniveau, gisait, sans vie, exsangue, comme la carcasse d'un chien mouillé au bord d'une nationale. Il portait des ecchymoses sur le visage, sur la poitrine et sur les bras. Sa gorge ouverte avait été tranchée d'une oreille à l'autre. Il s'était vidé, quelque part, avant d'être balancé ici, en pleine nuit, pendant le déluge. Son pantalon de velours, qui n'avait plus rien de vraiment beige, avait épongé l'ondée. On y préleva pourtant des restes de terre, de végétaux, des débris de calcaire et un cheveu long de seize centimètres. Les parties nues du corps étaient blanches, presque grises, pour ainsi dire lavées. Les bordures des plaies, comme des ourlets de lait gélifiés. À l'intérieur, c'était bleu, noir, opaque. L'œil droit, presque énucléé, menaçant de quitter son carcan orbital, indiquait que le pauvre homme avait été méthodiquement tabassé. Dans la peau du ventre, une signature était gravée : « SUGET 2 ».

Paul Garand ordonna au technicien de la gendarmerie chargé du premier examen de retirer ce qu'on avait enfoncé dans la bouche de la victime : une boule de papier blanchâtre sur laquelle on ne releva aucune empreinte, la feuille ayant été chiffonnée par des mains gantées. Avant de glisser la pièce à conviction dans le sachet plastique prévu à cet effet, le technicien déplia précautionneusement les fibres détrempées. La salive, le sang, la pluie avaient effacé la majeure partie du texte. Mais subsistaient, éparpillés sur le tract syndical, parmi les auréoles grises de l'encre délavée, ces mots orphelins : « travailleurs », « emplois », « grève », « usine », « solidarité ».

Alentour, la pluie avait fait son travail de sape. Plus trace de rien. Pneus, chaussures, sang, empreintes... Émeric Dumesnil flasha le corps sous toutes les coutures, sans piper, et s'éclipsa.

Concernant le cheveu de seize centimètres, l'Identité criminelle rendrait son rapport en quarante-huit heures : l'ADN était féminin. Après vérification, on découvrirait qu'il appartenait à la veuve Angelo, laquelle avait un alibi : elle s'était rongée d'inquiétude toute la nuit dans son appartement, en compagnie de son fils de onze ans et de sa voisine Nadia, qui l'avait rejointe vers 1 heure pour l'aider à supporter l'attente.

*

Les conséquences de ce troisième assassinat furent immédiates. La nouvelle fusa de bouche à oreille et, avant midi, rue des Victoires, on assistait à des pèlerinages sur les lieux du crime, à des dépôts de bouquets funèbres au bord du caniveau. Un portrait de Jean-Gabriel Angelo fut scotché sur la vitrine de la cellule syndicale.

Sur la place Poincaré, on ne causait plus que de *ça*. Chez les commerçants, que de *ça*; dans les couloirs et les bureaux de l'hôtel de ville, que de *ça*. Meurtres, cadavres, horreur, torture, lâcheté, assassin, sécurité, victimes... Le lexique de la peur. Et la méfiance dans les yeux. La vigilance dans les gestes. On pouvait presque entendre l'écho des serrures se fermer. Un tour de plus que d'habitude. C'était clair et net, le monstre était entré dans les vies et y diffusait son venin. Les citadins contaminés étaient prêts à mordre; on redoutait la contagion, l'épidémie, la dissémination du virus qu'on propageait pourtant. La peur, arme de division massive, régnait à plein temps.

Les quelques militants d'extrême droite de Nogent, menés par le délicat David Duvorcher, élaboraient dans le secret de leur cellule l'affiche qu'ils placarderaient bientôt sur les murs de la ville – une photographie du cadavre d'Angelo accompagnée de l'accroche suivante: « Monstres, criminels, assassins, un seul remède: la peine de mort ».

Le lendemain, la presse locale annonça ce que beaucoup savaient déjà, la télévision en fit ses choux gras, trois quotidiens nationaux se mirent sur le coup. Les journalistes patrouillaient en bonne entente avec un détachement de l'armée de terre venu prêter main-forte à l'escadron de la gendarmerie de Nogent. Le préfet ordonna à la section de recherche de Chartres d'ajouter son grain de sel. Les militaires sillonnaient les rues trois par trois, armés de kalachnikovs. Une ambiance d'état de siège.

À l'usine Dulcis, les salariés levèrent le piquet de grève après une intervention convaincante de la direction : on allait consentir, malgré les difficultés, à un réexamen du plan social et à une négociation bipartite dont l'objectif raisonnable serait de répondre favorablement, autant que faire se peut, aux exigences de chacun, dans un esprit d'écoute mutuelle. Le nombre des licenciements, leur réelle nécessité et la forme de leur répartition seraient réétudiés, mais, avant tout, il était du devoir de l'entreprise de respecter la mémoire de Jean-Gabriel Angelo, élément incontournable de l'équipe, travailleur infatigable et fidèle à ses engagements. On protégerait ce lieu de travail qui avait été le sien, on se réorganiserait ensemble, ouvriers et patrons, afin de faire face à la réalité parfois cruelle du marché et de la concurrence, et ce, « en pleine conscience des enjeux de la modernité qui nous encouragent à prendre nos responsabilités, à être lucides, pragmatiques, et à considérer que ces négociations dont le but, je vous le rappelle, est de sauver une part non négligeable des emplois de Dulcis, car c'est bien cela qui nous rassemble aujourd'hui autour de cette table, nous partenaires et non ennemis »... Les fourbes du capitalisme savent diffuser le doux parfum de leur perversion quand la situation les y oblige.

Depuis deux jours enfin, la caserne était le théâtre d'allées et venues incessantes. Les téléphones sonnaient tous en même temps et sans discontinuer. Dumollet voulait voir Garand, le capitaine Faquin souhaitait parler à Garand, la veuve Angelo ne désirait s'adresser qu'à Garand, Denis Bouchon, en porte-parole des commerçants, sollicitait un rendez-vous avec Garand, Henry Bourges, le maire, toquait à la porte de Garand, le préfet entrait sans frapper dans le bureau de Garand, le substitut du procureur avertissait Garand, le patron de la SR devait organiser la suite des opérations avec Garand, celui de l'IC avait des informations importantes pour Garand, le ministère de l'Intérieur priait Garand, Nadine aurait bien aimé causer à son ex et Grégory proposait de passer voir son père. Quant à Paul Garand, il prit rapidement conscience que, s'il ne remuait pas un peu sa graisse, s'il ne donnait pas un signe d'espoir, de redressement, un minuscule indice, la plus infime des pistes, un numéro d'immatriculation, n'importe quoi, ça allait chauffer.

—Commandant, il faudrait demander un réglage pour la caméra de la rue des Victoires. Elle a filmé des branches d'arbre toute la nuit!

—Demande, Dumollet, demande...

—Le labo au téléphone, commandant. Le sang sous les ongles à Angelo, c'est le sien.

—À qui?

—À Angelo, commandant.

—Allô, Paul?

—Et l'interrogatoire du père Germain?

—Rien. Tenez, un fax du ministère, commandant.

—Quelle heure il est?

—21 h 48, mon commandant.

—Paul?

—Madame Bartavel, s'il vous plaît, veuillez sortir de mon bureau, merci.

— Les Renseignements généraux, commandant… Demain matin, 8 heures, chez Henry Bourges. Ça vous va ?

— Oui. Heu, non ! Dix heures. Avant, je suis à Dreux.

— *Paul, tu m'entends ?*

— Un mail de Dumesnil, mon commandant.

— C'est quoi ?

— *Paul ?*

— Une photo intéressante, d'après lui.

— Oui, je t'entends, Nadine, mais je peux pas, là ! Je peux pas !

— Pour les obsèques à Angelo, commandant, on met une sécu ?

— *Bon, je te rapp…*

— Commandant, vous n'êtes pas sans savoir que mes collaborateurs et moi-même…

— Garand ! Ça vient, les indices ?

— Colonel Muscat…

— Commandant, tous les habitants de la rue des Victoires ont été interrogés…

— Et alors ?! Continuez, les 4 x 4, les témoins, les passants, la famille, les amis, TOUS ! MERDE ! Qu'est-ce tu fous encore là, Faquin, comme une putain d'asperge trop cuite !

— Dad, pour la bouffe chez toi, ça m'arrangerait plutôt vendredi prochain…

— Les jours passent, monsieur Garand. Et toujours rien…

— Toujours rien, toujours rien… Hep !

— Mon commandant ?

— Dumollet, tu me mets Bartigiano, Coquerot et Caperet sur écoute. Avec toi, je veux uniquement Berthomme et Jalil, point final, OK ?

— Bartigiano sur écoute, mon commandant ? Il est quand même adjoint au maire…

— Discute pas, Dupilon, merde !

— À vos ordres, mon c…

— Et motus, hein. Secret de l'instruction.

Mathieu

— Je suis toujours impressionnée par cet aquarium, Mathieu. Il est magnifique.

— Poissons nafiques.

— Oui, pardon, ce sont les poissons.

— ...Quarium l'a mama acheté, mieux que télé, car poissons pas coujours même chemin. M'aiment poissons, me gardent en z'yeux et partir et revient, surtout Killies rouges et Clowns pour jeu vec mon doigt... hm... bougent et cachent. Aut' différents comme Betta, splendeur dentelle rouge, là, pronème partout, belle, s'en fout les aut', pas faire tention, mange là, dors là... hm... balade à mille lieues d'algues, et là tits néons blancs rouges, en bande pour plus forts aussi, cacher, ruses, tratégies, hm ? Danger, hop, vite isparus. Et là pa... pa... hm... pa... pa... heu pas pareil Electric Blue Jack Dempsey, fort pas commode, dirait c'est lampe allumée bleu sup flashy, tellement nafique, hm ? Nafique...

— C'est vrai, il est très beau. Ce bleu est vraiment surprenant, très... très...

— Atense.

— C'est ça, intense.

— Là est Rainbow cerise, mon tréfère car tout couleur possible, arc en ciel de vrai nom, poète de quarium, coujours vers d'autre à aider, aider ponte, aider mange, aider batte contre Jack Dempsey… hm… sais pourquoi qu'a donné nom Dempsey ?

— Non, pourquoi ?

— Boxe ! Champon boxe Jack Dempsey ! Agresse tout quarium. Pour ça Rainbow cerise défende z'aut' contre Jack Dempsey, et Rainbow cerise… hm… des fois prend daphnies dans bouche et… hm… donne à petits, cartage et mène l'aut' à coin caché pour bouffe, n'a coujours l'œil à Jack Dempsey, surveille gros baraque et même fois change al couleur de jour au d'main, total. Beau, hm ?

— Très…

— …Quarium mama acheté…

— Des nouvelles de votre maman ?

— Tss… pas… sais ?

— Quoi ?

— Mama pa… artie près l'accident. Artie… hm… cause autre homme… hm… que j'ai vu dal ruc vec un jour, et s'yeux m'gardent de pas dire, secret ou… hm… papa sinon colère et tout et… hm… trop difficel moi de pas penser secret car coujours j'vu elle vec s'aut' homme. Hm… Papa croit qu'artie cause l'handicap, a pas supporté, mais non. Est cocu et que z'aut' gens sait la honte de lui. Temps passé de moi… hm… pas concentre à l'arc et raté tout pendant longtemps et près… hm… pus calme mais vu mama artie l'soir et pense coujours à secret. Impossi z'enfant l'viv' en l'secret. Impossi. Après des salauds cassent colonne de moi… hm… cassent tout et papa commence la chose…

— Oui ?

— Ress tout seul… vec poissons… Rainbow cerise…

Fin octobre

Les formidables tensions des esprits surchauffés, à leur comble au lendemain de la découverte du corps de Jean-Gabriel Angelo, déclenchèrent les phobies les plus folles. On avait atteint un pic de psychose, Nogent ne fermait plus un œil.

Le 16 octobre, à l'heure du laitier, dans la cellule du parti nationaliste, l'élégant David Duvorcher en uniforme de combat proposa d'immortaliser la création de sa milice privée par une photographie de groupe. Sourires cons, pupille à la bière, crânes vides, oreilles dégagées. Puis la dizaine de brutes bourra les coffres des voitures. Haches, manches de pioche, calibres. Ils filèrent vers le camp de gitans de la route de Liveronne où les Roms, en quelque sorte sédentarisés, étaient installés depuis des années. Les analphabètes voulaient effectuer une descente *éducative*, histoire de rire un peu, en grosses pompes et l'arme au poing. Duvorcher souffla dans son sifflet de supporter du Football club nogentais : « Debout là-dedans, on a quelques questions à poser ! » Des visages effrayés apparurent aux fenêtres des caravanes, des hommes sortirent en maillot de corps et en slip pour réclamer des explications. Comme prévu, ça dégénéra immédiatement : on défonça les portes à coups de rangers, on pulvérisa les pare-brise, les tables, les chaises et tout ce qui traînait dehors, on empila les vélos des gosses et les paniers d'osier en un tas hétéroclite de souvenirs et de pauvres trésors, puis un des miliciens arrosa le tout d'essence et le bûcher s'embrasa, sous les cris des habitants parqués dans un coin du camp. Les femmes et les enfants pleuraient, les hommes s'agitaient en hurlant sur leurs agresseurs, mais les flingues étaient braqués sur eux. Les gros bras en treillis et veste de chasseur entreprirent ensuite de bousiller les caravanes. « Zia ! Zia ! » Des postes de télévision jaillirent par les fenêtres et s'écrasèrent dans la boue, tandis que le brasier dégageait des fumées noires et des odeurs de plastique cramé. « ZIA ! » Un soldat lança en riant une torche à l'intérieur d'une roulotte, les nuages se teintèrent de bleu et de rouge. Quand les cris du père de Zia parvinrent aux oreilles de Duvorcher, qui donna l'ordre de déguerpir, il était trop tard : la petite fille de quatre ans avait brûlé vive.

Chaque journée qui passait connaissait son lot d'initiatives individuelles et meurtrières : ainsi, dans l'après-midi du 18 octobre, en plein centre-ville, un trio d'abrutis avinés lâcha ses chiens sur un adolescent de quinze ans qui avait eu la riche idée de sécher les cours. Il s'était assis sur les marches du kiosque à musique de la place Poincaré, les écouteurs enfoncés jusqu'aux tympans, branché sur *Get up, Stand up, Stand up for your Rights*. Les chiens dressés s'acharnèrent sur le gars durant plus de dix minutes, sans aucune intervention de qui que ce soit. Les parents optèrent pour l'incinération.

Le 20, à la sortie de Nogent, sur la route de Chasserolles, le conflit séculaire opposant les familles Robinot et Casparelle, deux dynasties d'exploitants agricoles, pour une bande de terrain à la jonction de leurs propriétés, se solda par la mort du père Robinot, empalé contre le mur de sa grange, et par l'incarcération du père Casparelle, conducteur du tracteur à la herse mortelle.

Le 22, vers 21 heures, monsieur Germain se sentit mal. Submergé par une vague d'angoisse, un mélange de désillusion, de désespoir et de fatigue, il s'installa à la table de sa cuisine et écrivit quelques mots sur une feuille volante. À l'heure où blanchit la campagne, on déplora son suicide. Monsieur Germain, quatre-vingt-sept ans, avait préféré tirer sa révérence plutôt que de revivre le bruit des bottes et les fantômes de la guerre. Il se pendit à une poutre de son garage, dans la nuit, en silence, méthodiquement. « *Puisque c'est ça, la vie : la peur, les humains méfiants, la violence, les cadavres, la société tout entière sous la menace de la folie, les dénonciations, les patrouilles, les contrôles d'identité… À mon âge, tout cela, je l'ai déjà vécu. Alors, je m'excuse. Mais je m'en vais.* »

À la mairie, on ne jurait plus que par la surveillance active, le contrôle positif, la répression ferme quoique mesurée, l'interrogatoire ciblé, la garde à vue préventive, l'arrestation spectaculaire. Le commandant Garand, osant exprimer des positions moins radicales et pointant le risque de dérives, essuya les insultes feutrées d'un Henry Bourges dépassé par l'Histoire, qui accorda, contre l'avis du commandant, mais à la grande satisfaction d'une coordination menée par Faquin, Jobert et Prunier, l'attribution de cinquante Taser à la gendarmerie. En échange, les congés de l'escadron étaient renvoyés aux calendes grecques. Un Dumollet sur les rotules protesta en vain auprès de sa hiérarchie adorée.

Au bout de dix jours, pourtant, les nervosités diversement gouvernées laissèrent place à une sorte de repli sur soi et de méfiance lourde. Désormais, on sortait armé de crans d'arrêt, de pistolets à grenaille, de bombes lacrymogènes ou de matraques à impulsions électriques. On remplaçait dans sa boutique l'ancien système d'alarme par un neuf, plus performant – à ce sujet, Michel Régot supplia la mairie d'accorder une subvention exceptionnelle à l'Acqmu. Un buraliste obtus fit l'acquisition d'un couple de rottweilers, des monstres noirs d'une demi-tonne installés de part et d'autre de l'entrée. Face à cette porte des Enfers, les clients rechignaient à répondre favorablement à l'invitation du débitant, qui les exhortait, l'air dégagé, à pénétrer dans son commerce comme si de rien n'était.

Les barrages policiers ne filtraient plus que des journalistes. Locaux et nationaux confondus, ils interrogeaient, filmaient, notaient, écrivaient, publiaient et harcelaient la ville entière. Ranimant le souvenir d'heures sombres, des voitures chargées de valises, de nourriture et d'enfants s'exilaient vers des contrées plus sereines. Nogent barricadé, au propre comme au figuré, ressemblerait bientôt à une petite ville américaine ultra-sécurisée, et certains s'en félicitaient. Profitant de la confusion, le patron de l'usine à poulets publia la liste définitive des licenciements, causant la démission par le feu, définitive et désespérée, de trois employés.

*

Les écoutes téléphoniques ordonnées par Garand ne donnaient que de piètres résultats. Le tueur devait être en train de préméditer minutieusement son prochain crime, mais sa discrétion, sa vitesse d'exécution, sa ruse et ses mobiles restaient une énigme pour les esprits les plus finauds de la police. Esprits finauds qui commençaient à marcher sur les plates-bandes de la gendarmerie, ce qui déplaisait fort à des éléments comme le capitaine Faquin, très à cheval sur la famille, ses principes, sa pureté.

Et, tandis que Garand subissait chaque jour les regards assassins, les réflexions mesquines et les questions vicieuses de certains de ses subordonnés, s'empiffrait de saloperies surgelées en se plaignant de ne pas voir son fils et appelait Nadine jusqu'à trois fois par jour ;

tandis que les voisins de Grégory, Stella et Stan, s'offraient des nuits de plus en plus incandescentes, vivaient d'amour, de cinéma et d'utopies, et se foutaient, à un point qui frisait la provocation, des soubresauts grotesques de leur riante commune, des hystéries collectives, des cadavres impudiques, des conflits dérisoires entre deux corps du maintien de l'ordre, de la bassesse des candidats aux élections, des regards obliques et de la pluie ;

tandis que Grégory, pour le moins déconnecté des réalités, contemplait les évolutions corporelles de sa voisine et réfléchissait, en écoutant *I Want to Hold your Hand*, au meilleur moyen de provoquer la rencontre ; que, le samedi suivant, sous la halle, se plaçant juste derrière elle dans la file pour les fruits et légumes, il laissait choir son kilo de noix – grosse ficelle, mais qui ne tente rien n'a rien –, qu'ils s'excusaient et ramassaient ensemble les fruits accidentés ; qu'il avouait l'avoir entr'aperçue par sa fenêtre, la félicitait d'être si courageusement venue s'installer dans la région et lui conseillait de goûter à cette friandise au miel appelée cailloux de Beauce ou, mieux, aux célèbres madeleines de tante Léonie, et qu'ils échangeaient leurs prénoms ;

tandis qu'il constatait, le soir même, qu'il ne pouvait décemment plus observer Élise par le petit bout de la lorgnette et se délectait de visions maintenant plus palpables, plus concrètes, plus vraies, et qu'un signe de la main, d'une fenêtre à l'autre, était une promesse faite d'un peu plus près ;

tandis qu'Élise débarquait un après-midi au magasin pour acheter un maillot de bain, qu'ils papotaient une bonne demi-heure de tout, de rien, de la ville, des regards écrasants qu'on lançait à Nogent au premier visage inconnu, de son métier de graphiste et de son envie d'être quelque temps sans travail, qu'ils se regardaient en prononçant des mots sans importance, sans réfléchir, presque insensés, des mots qui n'étaient que l'accompagnement musical d'une séquence à la Jacques Demy, et que Grégory pensait que ce qu'il était en train de vivre était peut-être l'événement le plus important depuis que l'homme avait marché sur la Lune ;

tandis qu'ils se retrouvaient un soir, vertu du hasard, coup de dé grâce auquel des existences échappent à la monotonie, dans le grand bassin du centre aqualudique nouvellement inauguré, qu'ils se dirigeaient d'un commun accord vers le jacuzzi désert et que le jeune homme, frissonnant d'envie, tirait des yeux seuls sur le maillot noir d'Élise et découvrait le sublime en se cachant sous les bulles ;

tandis que, planant parmi de nouvelles étoiles, Grégory demandait à son père de lui concocter un petit plat à emporter, plutôt doux, ou plutôt épicé mais sans trop…

— Épicé ou doux, fiston ?

— J'sais pas, Dad. Genre doux mais parfumé, you see ?

— Je scie, je scie… avec du curry ?

— C'est fort, ça, non ?

— Bon. Heu… un émincé de poulet cardamome et lait de coco, ça te va ? Comment elle s'appelle ?

— Dad, un p'tit plat, c'est tout. Oui, poulet, cool, lait de coco, c'est top…

— Cannelle, coriandre, amandes, safran et un peu de gingembre, pour le parfum. C'est quoi, son prénom ?

— T'es chiant, Dad. Enfin, non, t'es cool, mais tu vois, bon, heu, Élise, mais j'veux dire, y a nothing, on mange, c'est tout !

— Un riz au lait mangue-papaye à la noix de muscade pour le dessert, adjugé ? Élise, c'est joli…

— Trop fort, Dad !

— Tu passes vers 20 heures, ça sera prêt.

...alors que Grégory, tennis de cuir noir, jeans élimé, chemise noire, blouson, s'emparait en coup de vent de la commande enveloppée de papier d'aluminium et que Paul glissait à son fils un billet de vingt :

— Greg, tiens, va chez le caviste. Avec ce plat, le bouquin conseille un pinot gris ;

alors qu'Élise, chaussures jaunes, pattes d'eph, col roulé près du corps, tunique orange et maquillage invisible, sonnait, entrait, souriait, visitait, buvait, fumait, goûtait, dégustait, parlait, riait, racontait, questionnait, écoutait une version rare d'*Eleanor Rigby* (strings only – 1966), quittait sa chaise pour le fauteuil, regardait le grand Grégory choisir un disque, l'observait s'asseoir, se relever et servir le thé, trébucher, hésiter, bafouiller, rire, fuir le silence, soupirer, enchaîner les sujets de conversation, s'excuser pour son indiscrétion, feindre d'inspecter le ciel ;

alors qu'entre eux et les minutes s'égrenant, si rien ne se faisait, tout était dit ;

et alors que Nogent dormait déjà d'un sommeil vigilant ;

personne, ni Élise, ni Grégory, ni Paul Garand, ni aucun des habitants ne se doutait, n'imaginait ni ne prévoyait que, à l'aube de ce 28 octobre, Christian Herminette, garde forestier, découvrirait le corps d'un homme échoué sur le ventre dans la vase de l'étang de la Benette, le crâne éclaté, jambes et bras brisés, avec, fiché entre les omoplates, un de ces petits écriteaux rouge et blanc qu'utilisent les boulangers et les charcutiers pour informer leur aimable clientèle du prix des denrées : « SUGET 3 ».

Le corps était celui de Grégoire Massa, le meilleur ami de Grégory.

Mathieu

Peux plus, Jack Dempsey, peux plus supporter! Garde-moi Jack Dempsey! Drait crever! Avant, l'père le faisait la chose... hm... sans moi... hm... j'restécart et pas voir tout... hm... entends cris étout, mais là, aut' nuit, l'a venu... hm... m'chercher, que voie s'travail... M'a tiré d'fauteuil al cour jusque l'étab et... hm... l'montre un gars déshabillé, brûle les vêtements, chaussures, tout la térieur vec chalumeau et... hm... près l'dire insultes, longtemps longtemps, et l'tache à l'établi... hm... frappe et casse dents, Jack Dempsey! Mon père... hm... mon père, Jack Dempsey, que fait ça! L'frappe encore vec al manse da pioche... hm... beaucoup et l'vente qu'a venir noir... hm... hm... tout qu'a remonte sa bouche... hm... et tout qu'a sort! Jack Dempsey! J'a vomir qu'en peux plus d'à voir spectacle, et m'père m'a dire regarde regarde coujours... Préfère crever t'sais, Jack Dempsey, crever... mais peux pas... hm... m'père est fou, fou, et moi venir fou, c'est que ça qu'veut l'père : j'venir fou tant que lui. Et peux pas dire à la firmière vérité... hm... sinon c'est sur moi torture qu'il va faire! Devine dedans... hm... ses yeux... hm... trop peur, Jack Dempsey, trop peur! Drait crever! mais peux pas... peux pas...

3 novembre

Rue Daguerre, au rez-de-chaussée d'une petite baraque de rien, un silence de mort.

Depuis la découverte du corps de Grégoire, Magali n'avait quitté la cuisine que pour s'étendre sur le canapé gris du salon. Tenter le sommeil. Pas une lumière, pas un bruit. Juste ses sanglots et ce qu'elle imaginait du bord de l'étang. La terre molle et moisie, les touffes d'herbe couchées, la surface noirâtre de la vase, une branche pourrie enlisée, de profondes empreintes, la peau décolorée, le corps à demi enfoncé, le visage aussi, l'eau mince et sale, sa vieille écume jaune comme la pisse du temps, les pâles reflets de loin en loin, les roseaux fanés, les arbres dénudés.

Autour d'elle, punaisées aux portes, scotchées aux murs, fixées aux carreaux, des dizaines de photographies du corps de Grégoire et du sien. Une paupière close, la pulpe de la peau, ses lignes de fuite vers la tempe ou ses croisillons sous les cils, le repos tendre et la clarté, qu'il y ait l'ombre ou la lumière tout est serein sur les sels d'argent, habité, sans nulle crainte, sans anxiété. Une épaule, un bassin, une cheville. Et cette image encadrée de blanc qu'il faut fixer longtemps pour la saisir : la moitié supérieure en aplat noir, une légère oblique en frontière, une courbe en W, la source de lumière à gauche, trois ascensions pour trois éclairs, deux descentes dans l'obscur, puis une queue de comète à l'horizontale ; une succession de creux et de bosses modelés par un clair qu'on dirait de lune ; à gauche, une rondeur blanche ; au centre, une crevasse, un gouffre, une fissure noire appelle le regard ; à droite, un fin duvet ; une mystérieuse anatomie couchée, semble-t-il, de profil. Le corps vivant de Grégoire qu'il donnait sans retenue. Ses recoins les plus intimes. Rien de commun avec cette chose d'aujourd'hui, amas de chair lavée, habillée de déchirures, reconstituée, sans frisson, sans impatience, qui attend, sans attendre, l'assaut des nécrophages.

Qu'allait-elle faire de ces images ? S'infliger leur vision, les détruire ? Que resterait-il de ce qui s'était construit entre eux, avec eux, en eux, et s'était effondré devant elle ? Une encyclopédie d'amour rescapée de l'incendie ? Une monographie muette ? Quel paysage ? Quelle parole ? Quel parfum ? Qu'allait-elle devenir, seule, sans sa moitié d'âme, sans la voix grave de l'amant, sans la chaleur de son corps, dont elle ne pouvait récupérer que des bribes sur papier glacé ? Ces images n'étaient vivantes que par l'écho d'une vie vraie, là, présente, voisine, chaude, mouvante. Aujourd'hui, que disaient-elles d'autre, par leur grain étonnamment calme et fin, que la mort ? Grégoire est mort. Grégoire est mort. Mort.

Qu'allait-elle vivre ? Comment allait-elle vivre ? Survivre à cela.

Que pouvaient les autres face à l'enceinte épaisse, hermétique et vertigineuse à l'intérieur de laquelle Magali s'était enfermée, prostrée ? Que peuvent les amis et les parents quand tout a volé en éclats ? Ramasser les morceaux ? Les poser là, en tas, discrètement, sur l'étagère du dessous, parmi les cadres et les boîtes de papier photographique, passer un coup de balai, faire un thé, prendre sa main et l'embrasser, se relayer auprès d'elle ? Causer tout bas et se sentir impuissant ? Ces douces attentions entament-elles les parois de la solitude ? Et après, quand le temps a dévoré la prostration, que fait-on des objets, des vêtements, des papiers, des livres et de ces petites choses qu'on pensait insignifiantes et qui deviennent, là, plus précieuses que jamais, des reliques, des bijoux, des cœurs perdus ?

Alors, quoi ? Partir ? Quitter cette ville de mort ? Faire épave ailleurs ? Échouer maintenant, toujours échouer sur le limon des vieilles images et rester là, jambes écartées, le cul dans la boue, à chialer sur l'horizon, la mer et le ciel confondus ?

« Mon amour, mon amour, mon Grégoire, mon amour », disait Magali, la tête dans les mains, au-dessus de la flaque de larmes sur la table de la cuisine. Grégory, pudique, passait une main sur les cheveux de son amie.

*

La mort de Grégoire avait poussé les potards du flip au taquet. Certains parents se mettaient en congé pour garder les enfants à la maison ; d'autres, des mères tremblantes de peur, attendaient leur progéniture aux sorties des écoles, le sac à main coincé sous le bras, l'œil aux aguets, sans un mot, mâchoires serrées, et, sitôt le gamin dehors, l'attrapaient par le bras, jetaient le cartable sur le siège arrière, actionnaient la fermeture centralisée des portières et rentraient dare-dare au bercail ; la directrice du chalet des retraités réclamait des policiers nuit et jour aux portes de l'établissement ; Jérôme Foisil vendait pièges, flingues et munitions ; on prenait un second portable avec un opérateur différent, en cas de problème de réseau ; Henry Bourges, retranché dans sa mairie, ne savait plus où donner de la tête…

Les hommes et les femmes du pays nogentais déployaient tant d'énergie à se méfier les uns des autres, à se barricader, à s'autosurveiller, à alimenter leur psychose, à ne plus penser qu'à ça et au mystère insoluble qui les tenait debout, croyaient-ils – à désirer, en somme, cette terrible peur qui les rassemblait tous, enfin, autour d'une obsession commune –, qu'on pouvait raisonnablement se poser une ou deux questions : comment dépenseraient-ils ces gigantesques réserves d'énergie, une fois le tueur écroué ? De quoi, de qui auraient-ils peur ? Sur quel nouveau danger jetteraient-ils leur dévolu ? Le manouche de service ? Le poète sans papiers ? Les bougnoules révolutionnaires qui viendraient toquer à leur porte ?

On s'était réuni à la mairie pour écouter le préfet d'Eure-et-Loir, Jean-Hugues du Perche-Gouët. Malgré son mètre soixante-huit et ses talonnettes, le Jean-Hugues en question n'était ni de la crème allégée ni de la médecine douce. Plutôt du concret, du solide, une vraie fin de race fleurant bon la poudre de riz, le taste-vin et le superflu nécessaire – Rolex et pompes ritales, potiche gonflée au Botox. Calmos à première vue, mais bourré de tics et de regards meurtriers, il rêvait d'accrocher ses rivaux à des crocs de boucher. Il avait l'élégance du roquet, la perversité de la hyène, le courage du poulet et le sourire du serpent à sornettes, l'ambition du barbouze, la pensée du mafieux et, le cas échéant, la gouaille du poissonnier. Du sur-mesure pour les moqueurs.

—Monsieur le maire de Nogent, monsieur l'adjoint à la tranquillité publique, monsieur l'adjoint à l'urbanisme, monsieur l'adjoint au commerce, monsieur le substitut du procureur, mesdames et messieurs les représentants de l'Association des commerçants, messieurs les officiers supérieurs de la gendarmerie de Nogent, de la police nationale et des Renseignements généraux, mesdames et messieurs les conseillers, mesdames et messieurs les journalistes, je viens aujourd'hui vous parler de Nogent-les-Chartreux et de la sécurité des Nogentais.

» Mais, avant toute chose, je veux rendre hommage aux victimes de ce qu'il est convenu d'appeler un tueur en série. Je prends, pour ma part, la responsabilité de qualifier cet individu de monstre sanguinaire, en regrettant qu'il ne soit pas sous les verrous. J'ai une pensée plus qu'émue pour Guillaume Bartavel, Rémy Giacomet, Jean-Gabriel Angelo, Grégoire Massa, ignominieusement torturés et assassinés, et pour les membres de leur famille plongés depuis des semaines dans l'angoisse, la tristesse et l'impatience de voir le meurtrier de leur enfant, de leur époux, de leur père, menotté dans le box des accusés.

» Nogent-les-Chartreux, ville de respect, ville de tolérance, ville de tranquillité, est aujourd'hui le théâtre de l'horreur. Ces assassinats ont généré des actes collatéraux plus que regrettables, je dirais même inadmissibles dans une démocratie. Les heures noires que vivent les Nogentais doivent cesser.

» Il n'y a pas de liberté, il n'y a pas d'égalité, il n'y a pas de fraternité sans sécurité. Il faut le dire sans faux-semblant, sans démagogie, avec lucidité et sang-froid, audace et fermeté.

» Je veux, aujourd'hui, pour les Nogentais qui hésitent à sortir de chez eux, qui ont peur, qui se méfient, qui tremblent pour leurs enfants, parler de sécurité à ceux qui s'y consacrent sans compter, aux gendarmes et aux forces de sécurité intérieure et civile. On doit pouvoir leur en parler sans qu'ils redoutent une remise en cause de leur engagement.

» Je veux m'adresser à monsieur le maire Henry Bourges et lui assurer mon soutien sans faille, ainsi que celui du ministre de l'Intérieur. Je veux m'adresser au commandant de gendarmerie Paul Garand et à toute son équipe, aux renforts venus récemment de Dreux, au commandant Teddy Carali, de la police judiciaire de Chartres, et au lieutenant Guy Radieux, du service des Renseignements généraux.

» Je veux leur dire et vous dire à tous comment le département, la région, le ministère entendent s'engager dans cette mission ingrate qui est la leur.

» À tous, je veux adresser un message simple : Nogent a droit à la paix, Nogent a droit à la sécurité.

» Notre unique ambition ? Je vais vous la dire : que Nogent-les-Chartreux recouvre, coûte que coûte, dans les délais les plus brefs, sa paix, sa tranquillité, sa liberté – en un mot : sa démocratie.

» Regardons les choses en face et agissons avec pragmatisme. N'abandonnons pas Nogent aux griffes de la folie, de la vengeance ou des règlements de comptes.

Sans céder à la panique, nous devons trouver rapidement des solutions. En alliant nos forces, nous pouvons réussir.

» C'est dans cet esprit de solidarité que les autorités françaises, à Nogent et ailleurs, travaillent à une collaboration étroite entre la gendarmerie et la police, dont les objectifs sont de développer des complémentarités et de rechercher l'efficacité. Rapprocher la police et la gendarmerie, c'est améliorer sensiblement leur emploi sur le terrain, en coordonnant leurs actions sous la direction du ministre de la Sécurité intérieure. La volonté d'assurer une meilleure coordination entre police et gendarmerie est notamment mise en œuvre dans le cadre des GIR, les groupes d'intervention régionaux.

» Je veux insister sur la nécessité absolue de cet esprit d'équipe sans lequel rien n'est possible.

» Je veux m'adresser ici, plus particulièrement, au commandant Garand. Commandant, je sais que vos cultures, vos métiers et ceux de la police nationale sont différents. Je connais votre spécificité, je l'apprécie et j'entends la respecter. Mais la gendarmerie, dont vous êtes un éminent représentant, un serviteur dévoué depuis tant d'années, et la police, représentée ici par le commandant Teddy Carali, elles ont des objectifs communs et elles doivent travailler ensemble.

» Un tueur rôde dans votre ville, il torture, il assassine. Aujourd'hui, il y a urgence.

» Nous avons donc décidé, suite à la conférence départementale de sécurité, la mise à disposition d'un GIR sur le territoire de la commune. Cette force interministérielle de cent cinquante hommes soutiendra l'action des forces de sécurité sur le terrain. Les GIR réunissant nos deux forces, police et gendarmerie, c'est une synergie nouvelle et un atout important pour l'accélération des enquêtes. Je vous rappelle que les GIR sont rattachés au SRPJ et aux sections de recherche. L'unité d'organisation et de commandement sera donc composée du commandant Garand, chef de groupe, du commandant Carali, de la police judiciaire de Chartres, et de Guy Radieux, des Renseignements généraux.

» Une réunion exceptionnelle est prévue demain en préfecture pour préciser et mettre en place les premiers éléments de cette coordination et organiser les prochaines actions.

» Monsieur le maire, mesdames et messieurs, le ministre de l'Intérieur a confiance en vous.

» Merci de votre attention, bon courage et bonne chance.

*

— Je récapitule, fit Duvorcher en jetant un regard à chacun de ses trois collègues assis à la table du salon. Bertrand, tu gares le 4x4 au début de la rue des Colverts. Serge, tu descends, tu marches jusqu'au magasin, tu le dépasses et tu te postes vingt mètres plus loin, au coin de la rue Robespierre. OK ? À ton signal, Bertrand vient nous déposer devant chez Foisil. José, c'est là que tu interviens. Tu descends doucement de la bagnole et tu vas fixer les cinq extrémités de la pieuvre à cinq points du rideau de fer, le plus loin possible les uns des autres, comme sur le dessin. OK ? Pendant ce temps, je déroule le câble pour mousquetonner la tête de la pieuvre. Bertrand aura stoppé la voiture juste après le platane, comme ça le câble prendra appui sur le tronc. Quand il sera bien tendu, le rideau de l'armurerie se décollera de la devanture et tombera à plat sur le trottoir. À ce moment-là, Bertrand, tu viens couper le câble à ras du pare-chocs. Serge, bien sûr, tu mates, tu fais un signe au moindre problème. De toute façon, les patrouilles passent rarement dans cette rue et les flics sont trop occupés avec la cité du Bas et les grands axes du centre-ville. Dès que le rideau tombe, José fait péter la vitrine à la masse. OK, José ? Ho ?

— Ouais, David, OK, c'est noté…

— Alors, arrête de tripoter ce tire-bouchon et écoute bien.

— David, je peux te parler, après, s'il te plaît ? En privé…

— José, si ça concerne l'affaire, tu dois tout dire ici, autour de cette table. Pas de secret entre nous. Alors ?

— Ça concerne un peu l'affaire…

— Alors, on t'écoute.

— Voilà… j'ai les foies.

— OK, José, on a tous les foies. Mais c'est pas une raison pour se dégonfler. Pas vrai, les gars ?

— Sûr.

— Pareil.

— D'accord, mais…

— Mais quoi ?

— Je vois pas pourquoi t'aurais un flingue. Y a pas vraiment besoin d'un flingue sur ce coup. Enfin, à mon avis.

— Tu veux que je te dise pourquoi j'ai un flingue, José ?

— Oui…

— Il veut que je lui dise. J'ai un flingue, José, au cas où des connards auraient la même idée que nous et se pointeraient en même temps devant la boutique à Foisil. Admettons qu'ils aient des flingues. Qu'est-ce qu'on fait ?

— Comment ?

— Qu'est-ce qu'on fait ? Je te pose la question.

— On attend un peu ?

— On attend, oui. Ensuite ?

— Hm... on discute ?

— On discute, oui, et qu'est-ce qu'on dit ?

— Qu'on était là avant ?

— OK. On dit ça. Mais les mecs, imagine, une bande de Yougos qui sont pas là pour rigoler ou pour partager, c'est pas des tapettes, ils te braquent la gueule et ils te disent de dégager, que le matos à Foisil, c'est pour eux, et que si tu bouges pas ta graisse, ils hésiteront pas une seconde à t'en coller une entre les deux yeux. Tu piges, José ?

— Mais...

— Quoi, mais ? Tu fais chier, José.

— Mais si les mecs que tu parles, c'est des flics, par exemple ? Moi, je fais ça, c'est pour mon gosse, parce que les flingues, je m'en fous, je vais les revendre. C'est pour le pognon, tu vois, rapport à mon licenciement. Mais j'ai pas envie que mon gosse, il vienne me voir en taule, tu vois ?

— Qui te parle de taule, José ? Qui te parle de flics ? Je vois pas où est le problème que tu poses, vu qu'en cas de flics on a qu'à s'en aller cool, dans le 4x4 à Bertrand.

— Ouais, dit comme ça, ça a l'air facile...

— Hé, on va enculer les mouches toute la soirée, ou c'est juste pour l'apéro ? demanda Bertrand en regardant salement le pauvre José.

— On continue. Donc, on en était que José fait péter la vitrine à la masse…

— Et l'alarme ?

— Merci, José. L'alarme. Elle sonne. Elle ameute tout le quartier. Mais les gens restent chez eux, ils sont flippés comme des tarés. Le central des flics est prévenu. On a donc trois minutes pour remplir les deux sacs avec les flingues, les fusils et les munitions qui se trouvent, je te le rappelle, José, sous le comptoir. Ensuite, on s'arrache en chopant Serge au passage, et on trace jusqu'à la ferme des Clouzot. Quand les flics déboulent, y a plus personne. C'est OK ? Pour tout le monde ?

*

— Je m'inquiète, Paul. C'est normal, je suis loin, j'entends parler de Nogent à la radio, de tout ce qui s'y passe… Tu peux comprendre ça ?

— Je comprends, Nadine, je comprends. Pas la peine de s'angoisser. Y a juste un grain de sable dans la mécanique.

— Un tueur qui terrorise une ville, c'est un sacré grain de sable !

— Des tueurs, Nadine, y en a partout. La société, c'est ça, une usine à fabriquer des dingues, on le voit tous les jours et partout. C'est un problème de mécanique. Le tueur joue le rôle d'un révélateur. Et les chefs en profitent.

— Ils veulent te dessaisir de l'affaire ?

— Sûrement pas ! Un placard à l'office central, ça serait trop beau ! Ils veulent que je me plante, que je termine à genoux ! Ils ne me parlent plus de retraite, mais d'action.

— Tu n'as qu'à démissionner, on en a déjà parlé…

— On ne démissionne pas de la gendarmerie, Nadine ! Enfin ! En pleine affaire de meurtre ! J'ai pas envie d'avoir honte devant tous ces cons qu'attendent que ça, d'avouer mon échec. J'partirai pas comme ça, même si j'en ai ras le bol.

— *Et pourquoi cette enquête n'avance pas ?*

— Une enquête, Nadine, ça peut durer des mois, des années.

— *Quand même, vous avez bien un petit quelque chose !*

— Oui. Le tueur agit seul, il dépose ses victimes à des endroits bien précis de la ville, disons symboliques, il signe, il possède plusieurs véhicules, il ne laisse jamais d'empreinte, il est rusé, sadique et invisible. Rajoute à ça que les gens n'entendent parler que de sécurité, de vidéosurveillance, d'autodéfense, et que certains en profitent pour se dénoncer ou s'entre-tuer, et on se retrouve dans une merde infernale ! La mécanique est enrayée, voilà tout. Le problème, c'est pas la sécurité, c'est la folie, Nadine. Les gens sont fous. C'est ça, le plus inquiétant. Les éboueurs sont en grève, ils refusent de ramasser les ordures à l'aube ! Alors, ils se font casser la gueule un par un. Un service de contrôle vidéo permanent vient d'être créé. Deux mecs sont chargés de surveiller quatre-vingt-dix écrans dans un sous-sol de la mairie. À deux. C'est n'importe quoi !

— *Tu m'as dit qu'il y avait eu du renfort…*

— Mon cul ! Ils ont décidé d'envoyer des GIR. Ça multiplie le nombre de flics par trois. Des cadors armés jusqu'aux dents, en patrouille six par six, nuit et jour. En plus, Carali, j'le connais, c'est un nettoyeur. S'il y avait un flic par habitant, OK, le tueur, on le pincerait, mais alors faut vingt mille flics ! Les GIR, ils vont se la jouer feuilleton du vendredi dans la cité…

— *Tu l'aimais bien, pourtant, le feuilleton…*

— Bref. Les GIR vont créer des émeutes, cogner sur les clochards, sur ceux qui osent encore sortir le soir, et macache ! Le dément, lui, il va continuer à tuer. Je dis que c'est un mec ultra-entraîné, patient, tenace, avec du pognon, une planque et un masque. Le genre de type à se promener en ville, le sourire aux lèvres, à dire bonjour aux passants. Ce con de préfet l'appelle le monstre. Il n'est pas plus monstre que toi et moi…

— *Je n'ai jamais tué personne !*

— Et pourquoi pas ? Un coup de folie, une obsession, une illumination, et hop ! tu zigouilles ton toubib à coups de gourdin sous la douche !

— *Quel aveu, mon Paul !*

— Pardon ?

T'aimerais ça, que je le zigouille, hein ?

Ouais ! Ça m'éviterait de le faire moi-même !

— *Arrête, Paul, tu es monstrueux !*

— Ah, tu vois ! C'est peut-être moi, le monstre, qui sait ?

— *Très malin…*

— Ils veulent des coupables, des responsables, de la logique… La section de recherche vient de suggérer la garde à vue de Christian Herminette…

— *C'est qui ?*

— Le garde forestier qui a découvert Grégoire. J'y crois pas une seconde, mais si je l'ouvre, ils m'accuseront de complicité. Herminette, j'le connais, il ferait pas de mal à une mouche. Ils sont complètement à côté des vraies causes.

— *Il faut pourtant tout faire pour arrêter ce criminel !*

— D'abord, Nadine, j'suis pas Maigret. Je n'ai pas la science infuse, l'instinct, le feeling et tous ces trucs à la mode. Je dis qu'y a un problème. Un truc qui ne va pas, dans ce pays. Je m'en rends compte de jour en jour, de plus en plus. C'est la peur, Nadine. La peur se lit en gros sur les visages. La peur de tout. Du voisin, du boulot, du chômage, des flics, des terroristes, de la révolution, de l'avenir, du présent, du ciel… de tout ! Et là, coup de bol, y a un tueur, un vrai en chair et en os, qui fait ce qu'il a à faire : tuer. Pour certains, c'est une aubaine ; pour d'autres, c'est l'occasion rêvée de laisser enfin leur peur s'exprimer dans les grandes largeurs ! Parce que là, c'est pas du pipeau, c'est du réel, il existe bel et bien, et on n'arrive pas à le choper. Y a pas si longtemps, j'en étais encore à la peur des communistes ! Je suis vraiment trop ringard ! À force de se préparer à la guerre, elle va finir par nous tomber sur la gueule…

— *Oh, elle est déjà là, la guerre…*

— Tu te rends compte qu'à l'enterrement de Grégoire, dans le cimetière, des types avec des pancartes réclamaient la tête de l'assassin ? Et ça gueulait partout ! Une centaine d'excités, jeunes, vieux, abrutis de l'Acqmu, partis de droite, autodéfense et j'en passe. C'est pas un peu charogne de faire ça ? Merde !

— *Et Grégory ?*

— En larmes, il était.

— *Pauvre Greg. Tu les as virés ?*

— J'ai essayé, diplomate et tout. Je me suis fait insulter par Caperet, par Foisil et par Régot ! Il a fallu que le maire s'en mêle. Pour se venger, ils ont fait péter les vitres de la sous-préfecture ! Tu vois un peu le merdier !

— *Et notre fils, comment il va ?*

— Il t'a pas appelée ?

— *Si, avant-hier, mais il n'avait pas tellement envie de parler.*

— Il est sous le choc. Je le vois ce soir.

— *Il m'a juste dit que ça n'allait pas très fort, au boulot.*

— Le magasin va fermer.

— *Oh !*

— Les commerces baissent le rideau les uns après les autres. La crise, c'est plus une crise, Nadine, c'est un gouffre béant !

— *Pas pour tout le monde...*

— Ça, c'est sûr ! Qu'est-ce qu'ils nous font marrer ! Pendant des années, ils nous emmerdent avec le trou de la Sécu, les caisses vides, les bas salaires et les impôts, et le jour où les banques chialent, ils leur balancent des centaines de milliards ! La crise, ça sert à créer un état de choc. Après, tu peux avaler n'importe quoi. T'as peut-être raison, finalement, je devrais démissionner, j'ai l'impression d'être un collabo. Quant à Greg, je sais pas ce qu'il va faire. Enfin, je crois qu'il n'est plus tout seul...

— *Il a quelqu'un ?*

— J'te tiendrai au courant. Sauf si tu passes prendre des nouvelles...

— *Paul, ne m'en veux pas, mais je n'ai pas envie de venir à Nogent. Je n'ai jamais aimé cette ville, tu sais bien. Venez, vous deux, on peut vous héberger. On a deux chambres d'amis qui ne servent jamais à rien.*

— Ouais, comme d'hab'...

— *Allez, faut que je te laisse.*

— Je t'embrasse.

— *Tu lui fais quoi, au fait, ce soir ?*

— Des îles flottantes, il adore.

— *Et en plat ?*

— J'en sais rien. Un truc léger. J'vais pas lui servir un bout de bidoche, avec tout ce qui se passe !

— *Du poisson ?*

— Au mercure ?

— *Tiens, fais-lui donc ton chou aux pommes !*

— Tu te souviens de ça ?

— *Oui. J'adorais ! Salé-sucré, pomme-cannelle et clous de girofle, hum…*

— Pas con… À demain ?

— *Oui, fais des bisous à Greg.*

*

— Tiens, gare-toi derrière la grise et éteins les gaz. Serge, à toi.

— J'y vais.

— On est cool, on est calme, OK ? Y a aucun problème, on attend le signal de Serge.

— Quelle heure qu'il est ?

— Minuit pile. Avec c'te pluie, on est peinard.

— Bertrand, tu nous couvres après avoir coupé le câble.

— T'inquiète.

— Comment ça, il nous couvre ?

— Toi, tu remplis les sacs, t'as rien d'autre à faire que de bourrer ces putains de sacs !

— Attends, il a un flingue ?

— Comment tu veux qu'il nous couvre ? Avec une arbalète ?

— C'était pas prévu, qu'il ait un flingue !

— Si, c'était prévu ! Alors, ferme-la et concentre-toi, bordel !

— Serge nous fait un signe !

— OK. Les gaz, doucement, on va jusqu'au platane. C'est bon, ça roule.

— Mais Serge…

— Ta gueule ! Tu la boucles, connard, tu fais ton boulot, point barre !

— T'agace pas, Bertrand, c'est bon, on y est.

— J'éteins le moteur.

— OK. José, pieuvre, rideau de fer, je descends dérouler le câble. On se précipite pas.

— J'y vais, David.

— Ça va, Bertrand ?

— Ouais. Me fait chier, ce con. Il comprend rien. Surveille-le, qu'il fasse pas une connerie.

— T'inquiète. On assure, je reviens dans vingt secondes te donner le top. José, c'est prêt ? Génial. Je mousquetonne le câble sur la tête. Bertrand, tu vas pouvoir y aller.

— OK.

— Attends. Voilà. C'est tendu.

— David, la masse, j'ai pas la masse !

— Sur le siège arrière, ducon !

— Prêts, les gars ?

— Pour moi, ça baigne.

— José. Ça va faire un boucan d'enfer, alors tu t'affoles pas. OK ? Dès que le rideau est arraché, tu balances la masse dans la vitrine. L'alarme, on s'en fout, on a trois minutes, t'es OK ?

— Ouais, ouais, je frappe la vitrine en plein milieu.

— Voilà, en plein milieu, t'es un chef. Bertrand, c'est bon. Mets le contact. OK. Allez, vas-y, accélère, accélère ! Fonce ! Ouais ! Ça y est, le rideau se barre ! Encore ! Encore !! Stop ! On y va ! Allez, allez ! On bourre, on bourre ! Vite ! Quoi ? J'entends rien ! Les munitions, allez ! Hein ? Quoi ?

— Y a Serge qui dit un truc !

— UNE PATROUILLE, LES MECS, UNE PATROUILLE !

*

— Greg ! Ho ! Greg ! Putain, qu'est-ce qu'il fout ? Il est sourd ? Je vais pas ameuter tout le quartier avec le klaxon… Greg ! Ouvre la fenêtre !

— Ouais ?

— Ben, c'est moi, quoi ! T'es bouché, ça fait une heure que j't'appelle !

— Une heure, pff… et ton portable ?

— Portable, portable… T'attends quoi pour descendre ? J'ai nos gamelles pour ce soir, j'te signale !

— Zen, j'arrive…

— J'arrive… L'est marrant, lui…

— Bonsoir.

— Hein ? Ah, bonsoir. On s'connaît ?

— Pas encore. Vous êtes le père de Greg ?

— J'essaie. Pas toujours facile, mais bon.

— Je suis Élise. La voisine d'en face.

— En face de c'grand con ? Vous en avez d'la chance ! J'parie qu'il vous a invitée.

— Ça ne vous dérange pas ? Apparemment, Greg a tout organisé sans rien dire.

— Bon, ben, on va pas rester dans le froid. Tenez, attention, c'est des îles flottantes, évitez les secousses ! Je vais prendre la cocotte. Attendez, je vais vous ouvrir, j'ai une main de libre… Ah, ben alors, qu'est-ce tu fous, toi ? Tu mets combien d'heures pour descendre quatre étages ?

— Hé, calmos. On est cool, on monte doucement sans crier, on est des humains. Allez-y, j'vous tiens la porte.

— Ça va, mon fils ? T'as une 'tite mine… Scuse-moi, je t'appelais et…

— Ouais, on parlera là-haut.

— Je vous préviens, je monte au ralenti !

— On sait, Dad, on tolère, on s'moque pas des handicapés…

Les poumons du handicapé ont gravi les marches une à une et fini leur ascension dans sa gorge.

— Allez, c'est moi qui sers pendant que c'est chaud. Et vous, Élise, niveau boulot ?

— Niveau zéro pour l'instant. Il va falloir que je trouve quelque chose, un mi-temps, pour le loyer.

— La vendeuse du magasin d'jouets va entrer en congé maternité, tu devrais en profiter…

— Oh, dis donc, elle est énorme, j'ai jamais vu ça !

— Heu, Dad, question poids… mollo.

— Vendeuse, c'est pas trop mon rayon.

— Vous habiteriez juste au-dessus, comme moi à la caserne. C'est pratique.

— Pas forcément un avantage, Dad.

— Si, pour la sieste !

— Je te signale que Grégoire s'est fait buter ! sursauta Grégory, dont l'épiderme était inhabituellement chatouilleux. Tu le connaissais et je le connaissais encore mieux, c'était mon pote. Et Magali est dans un sale état. C'est toi, le keuf, ici ! Alors, pour la sieste, c'est pas l'moment !

— T'énerve pas, mon fils, je plaisantais…

— Of course. Désolé, j'ai pas envie de plaisanter, aujourd'hui.

— Bien… heu… on verra si le proprio propose quelque chose, vu qu'il est aussi le patron du magasin, intercala Élise pour faire redescendre la moutarde.

— Méfiez-vous de Régot. Il fait partie de l'association des commerçants de Nogent. Ils peuvent pas me saquer.

— Si tu faisais ton boulot…

— Hé, Greg, tu me fais chier, d'accord ? Si j'avais pas bossé comme un taré depuis vingt-cinq piges, ton âge en gros, t'aurais peut-être pas fait d'études, passé ton permis et habité ici.

— La mother, elle t'a filé une pension, non ?

— Et alors ? C'est pas qu'une question de fric, l'éducation ! J'ai assuré, j'ai pris en charge, je me suis retrouvé tout seul avec toi et c'est moi qui prends ! Merci ! C'est pas pareil quand on a la garde d'un ado. Faut penser à tout, le bahut, la bouffe, toute l'organisation, quoi !

— On va pas te coller une médaille parce que t'as pas abandonné ton fils !

— OK. D'accord. Alors, tu sais quoi ? Je démissionne, je vis avec cinquante pour cent de mon salaire, mais le jour où t'es à la rue parce que ton magasin débile baisse le rideau, tu ne viens pas frapper à la maison. D'accord ?

— Hé, Dad, tu veux que j'te dise mes projets ?

— Vas-y, ouais. Tu vas te visser ta lunette dans l'œil et attendre que les étoiles descendent sur Terre ?

— Perdu ! Quand le rideau sera baissé, je me tirerai d'ici, le plus loin possible.

— Tu vas me laisser toute seule en face ? demanda Élise en feignant la panique.

— Non, j't'emmène !

— Ah…

— Ben, comme ça, après avoir commencé jeune con de flic, je finirai vieux con de flic…

— Vous voulez bien arrêter de vous engueuler, c'est assez désagréable pour moi.

— Excusez-nous, Élise, répondit courtoisement le commandant.

— Bien ouèj, Dad, good réflexe.

— Toi, l'English…

— Et ta mère, Greg, elle est où ?

— Elle vit comme une petite-bourgeoise avec un toubib à Paris. Elle avait autre chose à faire qu'élever un enfant.

— Seul point sur lequel nous sommes toujours d'accord, mon fils et moi. Avec Nadine, on a beau s'appeler tous les jours, je m'y ferai jamais.

— Ça va, Dad…

— Je sais, je ressasse. Il me dit toujours ça. Et, bien que le verbe « ressasser » se lise dans les deux sens, on ne rattrape pas le temps perdu ! T'as vu, fiston, j'la connais par cœur, ta réplique ! Comment qu'on dit, déjà ? un vélodrome ?

— Palindrome.

— Et avec le tueur, vous en êtes où ?

— *Sans* le tueur, Élise. Disons, à peu près nulle part. J'en arrive à me dire parfois qu'on ne lui mettra jamais la main dessus. Désolé, Greg, mais je dis ce que je pense.

— Impossible d'aller contre ton pessimisme naturel, Dad.

— On n'a rien sur lui, fils. Désolé d'être lucide. Aucune trace, c'est dément. Je donnerais n'importe quoi pour le serrer, j'te jure, mais on n'a rien. Même à la SR, ils s'arrachent les cheveux. Avec l'étang de la Benette, on dirait qu'il tend à s'éloigner de l'agglomération. Mais les traces de pneus, c'est une petite bagnole, genre la mienne. On a juste retrouvé un minuscule morceau de cuir qui pourrait provenir d'un gant. C'est tout. Tu sais, des mecs comme Ted Bundy ou Martin Plunkett, ils ont assassiné des gens pendant des années pendant que les flics nageaient dans la semoule.

— On n'est pas aux States.

— Je te l'accorde. Simple question d'échelle. Nous, on a Francis Heaulme et Patrice Alègre. La différence, c'est que le tueur de Nogent ne viole pas. C'est rare. Et ça ne facilite pas l'enquête. Tu as réfléchi à SUGET ?

— Vaguement. Avec Élise, on y a pensé.

— Je dirais que Greg a réfléchi et que, moi, j'ai trouvé !

— Pff… j'ai pas lu autant de polars que toi…

— À notre avis, le mobile des crimes est caché dans la signature. La faute d'orthographe est évidemment intentionnelle, ne le prenons pas pour un débile. Donc… heu…, s'interrompit Élise.

— Let's go, babe. C'est peut-être des conneries, mais on n'a que ça.

— Alors, le sujet, c'est une personne, d'accord ? Un individu. Or, les tueurs ont tendance à traiter leurs victimes comme des objets. Ils les choisissent, les mettent en confiance, les préparent, les maltraitent, les manipulent.

Puis, avant de s'en débarrasser, ils les modifient, en exerçant leur force sur elles, afin, disons, de dominer la forme de leur corps. Les tueurs sectionnent, tranchent, découpent, percent, séparent et disséminent, c'est bien connu. Donc, le sujet n'est peut-être pas la victime, mais le tueur lui-même. D'accord ?

— Mouais. Sinon, il aurait signé OBJET. Je vous suis, mais…

— Attendez. Si « sujet » égale « tueur », c'est d'ailleurs la fonction première d'une signature, le J peut ou pourrait se rapporter à « je ». « JE suis le sujet qui signe. » Sauf que, là, on n'a pas de J, mais un G. G comme… comme…

— Grégory ?

— Hé, Dad, je t'en prie, c'est sérieux !

— G comme « groupe », commandant.

— Et alors ?

— C'est tout ce qu'on a trouvé, Dad. Tu permets ? Ce n'est pas nous, les chargés d'enquête. On s'est dit que, pour passer à travers les mailles du filet depuis deux mois, on a peut-être affaire à un groupe. Pas forcément énorme, mais une organisation. À deux ou trois.

— Oui, enfin, c'est bien beau, vos jeux de mots, mais ça nous fait pas un mobile. Or, vous dites qu'il faut chercher le mobile dans la signature…

— C'est vrai. On coince un peu. À notre avis, quand même, le ou les tueurs sont en mission. Pas d'objectif déterminé, plutôt un processus sans fin, comme tous les tueurs en série d'ailleurs. Pourtant, on dirait des vengeances. Le tueur ne dissimule pas les corps, il les expose. Comme des trophées de chasse. Ils ont un rapport étroit au social.

— D'accord, il veut qu'on sache. Mais si c'est une vengeance, il est soumis à une logique, non ?

— Bravo, Daddy ! Voilà que tu te mets à déduire, maintenant !

— Ta gueule, Greg. Je vois mal la logique, le lien entre les victimes. Un chômeur, un employé de mairie, un syndicaliste d'usine, un jeune sans histoires… je vois pas.

— Que des hommes…

— Vous croyez que le tueur est homo ?

— C'est quoi, cette réaction ? Pourquoi pas hétéro ?

— J'ai dit une connerie, fils. Ça t'arrive aussi, non ?

— Moi, je crois qu'il y a toujours quelque chose de sexuel dans l'acte de tuer, reprit Élise. Même sans viol. Qu'il y ait vengeance ou pas, le tueur assouvit un fantasme, comble un manque, sort de la frustration. Pour qu'il s'arrête, il faut une modification profonde de…

— De ?

— Je sais pas… de lui-même, ou de l'environnement. Quelque chose de suffisamment bouleversant et révolutionnaire pour que ça influence son comportement.

— Une modification du groupe ?

— Une scission…

— Vous êtes mignons, tous les deux !

— …

— Vos îles flottantes, monsieur Garand, une pure merveille…

— C'est très simple. Deux verres de lait et une gousse de vanille fendue. À feu doux, les graines dégagent leur parfum. Quand ça frémit, vous versez sur les jaunes d'œuf et le sucre, et rebelote à feu doux cinq minutes. Sans bouillir surtout, sinon c'est foutu ! Quand vous avez envie d'y goûter, c'est bon. Le tout à travers un chinois dans un grand plat ou dans des coupelles, et il n'y a plus qu'à déposer délicatement la neige, le caramel et les petits machins de toutes les couleurs. Mangez pendant que c'est froid !

—…

—Cette version de *Here Comes the Sun*, George Harrison et Ravi Shankar, vous trouvez pas ça d'enfer ?!

—…

—Et si vous vous plantiez, tous les deux ? S'il agissait tout seul et si SUGET était une énigme indéchiffrable ?

—Ouais, bien sûr, le mystère du siècle ! Au-delà de toute logique humaine. Ça l'arrangerait bien, ça, mon gros flic de papa, il serait peinard, hein ? Libéré de toute culpabilité…

—Sans déconner, Greg, ce tueur est fou à lier, un obsessionnel qui répète indéfiniment le même geste… Tiens, G comme « geste »… Il recherche secrètement la gloire… encore un G… Il remplit une mission de purification, il reçoit des ordres divins, il a des désirs de domination universelle. Il est seul, je vous dis, seul. Aussi seul que nous tous ! Peut-être même qu'on le rencontre tous les jours ! En tout cas, il doit prendre son pied à voir sa ville sens dessus dessous.

—Personnellement, je n'en suis pas si sûre, monsieur Garand. Au contraire, même. À mon avis, ce type est obsédé par l'ordre, les événements le dépassent. En exposant les corps, il nous prévient, en un sens. « Attention, si ça continue, je continue. » Voyez ?

—Bof…

— Sa folie lui fait croire qu'il a une influence sur le monde et la société.

— À mon avis, Élise, il tue parce qu'il est malade, qu'il a des pulsions et qu'il ignore quand elles prendront fin. Il va faire une erreur, laisser une trace, oublier quelque chose, et on l'arrêtera. Un meurtre tous les quinze jours depuis deux mois, et il serait dépassé par les événements ? Ça ne tient pas !

— Pourquoi pas ?

— Ah, la naïveté de la jeunesse, c'est émouvant.

— Dad, ne sois pas borné. On pense qu'il va changer de tactique. Les gens ont trop peur. Les flics sont partout.

— Ah, merde ! Ça bipe ! Qu'est-ce qu'ils me veulent ?

— So what ?

— Urgence. Putain. Bon, j'y vais. Si c'est pas grave, je reviens prendre un café.

*

— Police ! On ne bouge plus ! Mains en l'air !

— J'arrive pas à couper l'câble, bordel !

— Dumollet, passe derrière les bagnoles, par-derrière, vite !

— Duvorcher! Le sac !

— Laisse tomber, magne !

— Berthomme, couvre-moi. Jusqu'à l'arbre.

— Bertrand, qu'est-ce tu fous, merde !

— C'est ce putain de câble ! Ah, ça y est ! Montez !

— Je peux pas te couvrir d'ici, Faquin !

— Ta gueule, Berthomme !

— David ! Le sac !

— Quoi ?
— Faquin, qu'est-ce tu fous ? Reviens !
— Je leur nique la gueule, à ces enculés !
— T'es malade ! Dumollet, t'es où ?
— Là !
— Où ? Putain… Ne bougez plus ! Police !
— Tu vas pas tirer, Bertrand ?
— J'vais m'gêner ! Fils de pute de flic !
— Berthomme, je… Aah…
— Faquin ! Dumollet est touché !
— José, bouge ton cul, grimpe vite, bordel !
— David !
— Jordan, réponds ! Dumollet ! Meeerde !
— Enculé ! Toi, je te bute !
— David ! AAH ! Ma jambe ! Ma jambe !
— Serge, qu'est-ce tu fous ? Remonte ! Fais pas l'con !
— Dumollet, réponds-moi ! AU SECOURS ! Appelle du renfort, Faquin !
— José, monte ! Essaie de monter, allez !
— J'ai mal, David, j'ai mal, ma jambe !
— Tiens, fils de pute !
— David, j'ai… Dav… j…
— José !
— Serge, on s'barre ! Laisse tomber l'sac !
— Vas-y, roule, roule, roule !
— Et José ?
— Faquin, appelle les secours, Faquin ! Dumollet répond plus ! Il répond plus, merde, oh, merde !
— Et José ?

*

— *Allô, fils ?*

— Hum ?

— *J'te réveille pas ?*

— Non, ça va… j'avais laissé allumé, au cas où.

— *C'était un casse chez Foisil.*

— Oh ?

— *Deux morts. Tu vois le gros José ? Celui qu'était toujours fourré au PMU de la place du Marché depuis son licenciement ?*

— Ouais, vague…

— *Il n'avait pas d'arme. Faquin lui a tiré dans le dos. Moins bavure, y a pas. Et Dumollet, le jeune capitaine… fini. Une veuve et un orphelin.*

— Zone…

— *C'est la faute à ce connard de Faquin. Berthomme m'a tout raconté. Je vais le charger, j'te dis pas comment. Il va finir à la Concorde.*

— À quoi ?

— *Rien. Dors. Je t'appelle demain. Bonne nuit, fils.*

*

Pompiers, ambulanciers, gendarmes, militaires et jusqu'au commandant de police Carali, devançant l'appel, s'étaient rassemblés sur les lieux de la tuerie.

Voitures blanches, camions rouges, fourgons, sirènes, cordons de sécurité, ordres multiples, talkies-walkies, couvertures de survie, oxygène. Bruits, cris, engueulades, réseaux téléphoniques d'urgence en surchauffe.

Les flics affluaient, quittaient leur poste d'un bout à l'autre de la ville, tentaient de faire le tri entre les ordres contradictoires d'un Garand en sueur, sur les nerfs, et d'un Carali qui se la jouait sérénité asiatique.

Faisceaux des torches croisant les lueurs des appartements, gyrophares frôlant les façades, armes de tous formats, blouses blanches et incessants allers-retours du terrain aux habitacles des hôpitaux roulants, uniformes noirs partout, patrouilles désorganisées, dissociées, flashes des techniciens et des journalistes réveillés en sursaut.

Cliquetis des ceintures de munitions et des bandoulières de kalachnikov, chuintements métalliques des roues des brancards sur le sol humide et jonché de débris de verre, son mat des rangers martelant le sol, portières et portes coulissantes, abondance de voix sur tous les tons, défibrillation par chocs électriques, électrocardiogramme… plat.

La rue des Colverts éclairée comme en plein jour, envahie par des dizaines d'hommes chargés de sécuriser, signaler, surveiller, constater, soigner, perfuser, et abandonner.

Les larmes aux yeux de Paul Garand adossé au fourgon pour reprendre son souffle.

Et la pluie qui recommence à tambouriner, et le froid de novembre, les badauds en pyjama sur les balcons, d'autres en charentaises et parapluie sur les trottoirs, rue Robespierre, place des Insurgés et ailleurs, partout, regardant le ballet ininterrompu des voitures à toute pompe.

Contours des corps à la craie, celui du capitaine Jordan Dumollet, la gorge tranchée par une balle sécante et le poumon droit perforé en deux points ; celui de José, le dos criblé, la poitrine en tartare à l'os, et le sang des corps, toujours ce sang que les gouttes de pluie ne parvenaient pas à diluer.

Parmi les curieux, l'homme par qui le chaos était arrivé observait la confusion sans vraiment s'en délecter, échangeait des banalités d'usage avec des visages connus conformément aux exigences de la situation, se tenait sagement en deçà de la rue des Vicaires où s'activaient les secours, scrutait la cohue, le spectacle de l'urgence, du désarroi, les professionnels de l'intervention médicale et sécuritaire. Un heureux hasard l'avait conduit en ville à cette heure : il avait travaillé tard, ce soir-là. Puis, jugeant le moment opportun pour jouer au facteur, il s'éclipsa sans que personne s'en émeuve. Rentra chez lui. Fouilla dans le congélateur.

Vingt minutes plus tard, profitant de la pagaille, l'homme se faufilait furtivement par les rues désertes, libérées de leur surveillance militaire, une casquette écossaise sur le crâne. Le long du canal jusqu'à l'imprimerie Bodoni, rue du Four-à-Chaux vers l'agence d'intérim, rue Molière, place Poincaré, puis rue de l'Hôtel-de-Ville. Il fourra une demi-douzaine d'enveloppes capitonnées dans des boîtes à lettres.

Chaque enveloppe était signée « SUGET 4 » et contenait un morceau du corps de Martine Champrier.

4 novembre

La direction ne voulait rien savoir. On ramassait les poubelles de Nogent à 6 heures et on attaquait les villages des environs à partir de midi, point final. Pas question de chambouler les plannings pour une poignée de froussards. Le patron bénéficiait de l'appui sans faille de la municipalité, les revendications salariales ne le feraient pas plier. Les éboueurs devaient reprendre le travail immédiatement et cesser de prendre les Nogentais en otages. En dépit de cette manifestation d'autorité, l'entrepôt était bloqué, les clés des camions dans les poches des hommes en colère et deux jours de poubelles s'étalaient sur les trottoirs. Les premières odeurs n'allaient plus tarder. Elles se mêleraient à celle, tenace, de la peur entretenue par les communicants.

En revanche, pour le capitaine Faquin, c'était plié.

— L'enquête de l'IGS doit nous éclairer sur ce qui s'est réellement passé cette nuit, Faquin. Elle commence aujourd'hui. Berthomme m'a déjà tout expliqué. Rien à espérer de mon côté. J'espère que t'as les reins solides. Deux morts en ce moment, ça fait tache.

—J'ai fait mon travail, commandant.

—J'ai mon idée sur ce que tu considères comme ton travail, Faquin, je la développerai dans les bureaux adéquats.

—J'ai rien à me reprocher. Tout l'monde peut pas en dire autant.

Le commandant Garand se leva aussi brusquement que son gros ventre pouvait le lui permettre, réduisant ainsi la distance entre son fauteuil et la chaise où était assis le capitaine nonchalant.

—Ça signifie ?

—J'étais à mon poste. J'ai fait mon devoir. L'erreur est hum…

—Ça signifie ? réitéra Garand, à deux pas du gendarme.

—Ça signifie que le personnel à son poste, il agit…

—Et celui qui n'y est pas n'agit pas ?

—Affirmatif.

Le capitaine Faquin, sûr de son bon droit, reçut une baffe de cent trente kilos qui lui vissa la tête à bloc, puis une seconde, non moins lourde, qui la lui dévissa, rétablissant ainsi l'équilibre de sa chaise. Sans la deuxième baffe qui l'avait, bénéfice annexe, informé que sa carrière touchait à sa fin, il se serait étalé de tout son long et Garand aurait dû le rasseoir lui-même afin de poursuivre la leçon. La surprise, plus que la douleur, provoqua chez le capitaine une immobilité drolatique, yeux exorbités, mains en l'air, semelles décollées du lino. Dans cette position, Faquin se rendait disponible à tout recevoir, y compris une troisième baffe si telle avait été l'intention de son supérieur direct.

—Tu saignes du nez, enfoiré ! C'est con, y a pas d'témoin. T'as glissé ?

Garand le serra à la gorge.

— T'as glissé, connard ? Comme cette nuit, dis ? T'as glissé sur ta gâchette ? Tu voulais couvrir Dumollet ? T'étais en état de légitime défense ? C'est ça que tu vas dire ?

— ... âchez moi...

— Salopard de petit nazi, tu voulais faire un carton, pas vrai ? Ça t'excite de voir le sang couler, espèce de second couteau ! Tu vas me chier ton putain de rapport plus vite que ça, je le veux sur mon bureau dans une heure et en trois exemplaires, pigé ?

— Z'avez pas l'droit de me frapper...

— Pigé ?!

L'énorme poing de Garand s'enfonça sous les côtes de Faquin, qui se plia en deux. D'une pichenette, le commandant l'envoya valser en arrière et rejoignit son fauteuil. Celui qu'on pouvait d'ores et déjà nommer l'ex-capitaine et dont le crâne venait de heurter la dalle de la gendarmerie se recroquevilla en chien de fusil, les boyaux dans l'œsophage.

La porte creuse du bureau de Garand fit résonner les trois coups d'un index hésitant.

— Entrez.

— Commandant ?

— Ah, Berthomme, tu tombes bien. Je voulais te dire... Tu viendrais pas d'être promu, toi, par hasard ?

— Si, mon commandant. Capitaine, depuis sept jours exactement.

— Parfait. C'est toi, et toi seul, Berthomme, qui me secondes auprès de Carali. C'est clair ?

— Très clair, mon commandant...

— Putain de merde ! Arrêtez de m'appeler *mon commandant*, bordel ! Ça m'rappelle Dumollet !

— D'accord, mais comment on fait, alors ? Je sais pas, moi…

— Mais putain, Berthomme, comment tu fais avec ta bonne femme, avec tout l'monde ?! Tu l'appelles madame Berthomme quand elle te suce ?

— Non, mais là, heu… c'est pas pareil… Qu'est-ce qu'il faut dire, alors, mon c…

— RIEN ! On dit rien, on dit oui, on dit non, on répond aux questions, C'EST TOUT !

— …

— Alors ?

— Ben, y a des gens qui vous attendent dans le hall…

— Dis-leur de patienter, j'arrive.

— Bien, d'accord, fit Berthomme, embarrassé, en se tournant vers la porte pour sortir du bureau, avant d'ajouter en bafouillant : Parfait, donc… au plaisir… heu…

— Berthomme, dit Garand *in extremis* et les yeux au ciel, s'il te plaît, tu peux sortir la poubelle ? T'es pas en grève, toi ?

Sans un mot, Berthomme empoigna Faquin par les aisselles, parvint à le faire tenir en position verticale et le soutint pour passer la porte.

— Tu t'es gouré de boulot, Faquin. C'est pas la Kommandantur, ici ! lança le flic énervé, en hommage à son grand-père Marcellin Garand, qui s'était fait arracher les ongles par la Gestapo en juin 1940 dans les sous-sols de la préfecture de Chartres, car il soutenait les décisions du préfet d'Eure-et-Loir de l'époque, Jean Moulin *alias* Rex.

Il était 10 heures du matin, la journée avait commencé la veille vers 6 h 30, Garand n'était pas, mais alors absolument pas, d'humeur.

Il se dirigea vers son petit réfrigérateur, en sortit une épaisse tranche de rillettes d'oie et se concocta sur le pouce un triple club au pain de mie, qu'il dévora en un rien de temps, assis sur un coin du bureau. Puis il éclusa d'un trait une canette d'eau sucrée aromatisée à la pêche, s'essuya les lèvres et se rendit dans le hall.

Il tomba nez à nez avec un quintette sinistre, composé de Jean-Claude Pacis, le leader, Hervé Coquerot, Michel Régot, Vincent Bodoni et Marie-Claire Tripal. Hervé Coquerot tenait une enveloppe à hauteur de sa moustache et du bout des doigts. Épaisse. Les autres, moins fanfarons, tenaient la leur à deux mains.

— Je peux vous être utile ? enclencha Garand en arrivant d'un pas qu'il aurait souhaité empressé.

— Sûrement, répondit Jean-Claude Pacis, le spécialiste de la tranquillité sur la commune de Nogent.

— Je vous écoute, fit le commandant en s'accoudant au comptoir de l'accueil.

— Nous souhaiterions vous dévoiler le contenu de ces enveloppes dans un lieu, disons, plus intime. Cela risquerait de choquer mademoiselle, déclara Pacis en désignant l'adjudante Prunier.

— Oui ? réagit Garand, étonné. Vous pouvez baisser votre enveloppe, monsieur Coquerot, je l'ai très bien vue. Veuillez me suivre.

Paul Garand tourna les talons, pénétra dans son bureau sans retenir la porte et s'installa derrière ses dossiers. Il observa les membres du fameux orchestre se disputer pacifiquement les trois sièges. Michel Régot et Marie-Claire Tripal perdirent au jeu des chaises musicales.

— Monsieur Coquerot, s'il vous plaît, cela vous ennuierait-il de laisser votre place à cette dame, sans vouloir vous commander ?

— Hum..., fit l'intéressé avec une grimace de misogyne pris en flag.

— Merci, chuchota la responsable de la boîte d'intérim.

— Bien, on va pas tourner autour du pot pendant deux heures. Qu'est-ce qu'il y a dans ces enveloppes ?

Jean-Claude Pacis déposa la sienne sur le bureau.

— Regardez vous-même, commandant.

Garand jeta un œil à l'intérieur et la referma aussitôt en en pinçant le bord gommé. Il fit glisser ses doigts plusieurs fois sur le pli. Son cœur battait plus vite.

— OK. Et vous ? Même chose ? demanda-t-il aux autres.

— Un doigt, répondit Marie-Claire Tripal comme pour se débarrasser d'un poids insupportable.

— Pareil, dit Bodoni, l'imprimeur.

— Je crois que c'est une oreille, bredouilla Michel Régot en déposant son lot devant le gendarme.

— À mon avis, c'est un orteil que j'ai eu, dit Coquerot.

— Bien. On va reg... garder tout ça...

Garand appuya sur un des boutons de son téléphone.

— Berthomme, dans mon bureau, ordonna-t-il avant d'ajouter, à l'attention de ses cinq visiteurs : Évidemment, vous vous tenez à la disposition des autorités, pour la suite...

— Mon commandant ? s'enquit Berthomme.

— Berthomme, ces cinq enveloppes, direct au labo. En urgence ! Ils m'appellent la nuit s'il le faut.

— À vos ordres.

Puis le commandant se tourna vers les cinq destinataires du courrier sanguinolent.

— Je vais vous demander de signer une déposition… voilà.

Il cachait mal son émotion. Il aurait peut-être dû éviter les rillettes au pain de mie.

— C'est tout ? réclama Régot, offusqué par le comportement expéditif du fonctionnaire.

— Je vous signale, monsieur Garand, que, en tant que responsable de la tranquillité des citoyens de cette ville, j'attends des explications, renchérit l'adjoint.

Le commandant inspira profondément, plaqua ses paumes sur son bureau et entreprit de se lever. Cent trente kilos d'interrogations. Il décrocha sa veste du portemanteau. Le quintette ne bougeait pas d'un poil.

— Qu'est-ce que vous voulez que je vous dise ? Qu'on vient justement de l'arrêter, qu'il a tout avoué et qu'il nous a fourni la facture des enveloppes en bonne et due forme ?

— C'est comme ça que vous prenez les choses ? interrogea Coquerot.

— Écoutez, monsieur Coquerot. Vous ne croyez pas que c'est assez le foutoir dans cette ville ? Abstenez-vous d'en rajouter, s'il vous plaît.

— Commandant, je n'ai pas honte de le dire, j'ai peur. C'est bien normal, non ? plaça l'imprimeur.

— Moi aussi, j'ai peur, intervint madame Tripal. Quand on a ça dans sa boîte à lettres, forcément, on a peur. Pour soi et pour ses enfants. Et je ne suis pas la seule…

— Et moi, je n'ai pas peur, madame ? coupa Garand. Comme vous, j'ai un fils. Comme vous, il tient un commerce. J'ai peur pour lui et, s'il n'était pas là, ou plus là, je ne sais pas ce que je deviendrais ! Mais cette ville va se transformer en champ de bataille, si tout le monde se méfie de tout le monde !

— Commandant, vous êtes bien placé pour savoir que nous avons tous des enfants à protéger, enchaîna le marchand de jouets. Imaginez un peu l'état des parents de la personne qui vient de nous… être… expédiée. Nous vous demandons de nous protéger, c'est tout.

— C'est bien votre métier, non ? ajouta Coquerot en trépignant.

— Oui, c'est mon métier ! Alors, laissez-moi l'exercer ! Et faites attention, Coquerot, vous frisez l'outrage ! Quant à vous, monsieur Pacis, vous qui êtes garant de la tranquillité dans ce pays, faites en sorte que la mienne aussi soit préservée ! Moins je suis tranquille, plus ça va lentement ! Sur ce, comme vous venez de me le signifier, j'ai beaucoup de travail. Vous restez bien sûr à ma disposition, si ça ne vous oblige pas trop. Je serai sûrement amené à vous recontacter. Permettez-moi de ne pas vous raccompagner jusque dans le hall.

*

Hervé Coquerot et Michel Régot regagnèrent leurs échoppes, groggy et la semelle lourde. Après quelques critiques acerbes sur l'attitude du commandant Garand, ils constatèrent, le nez pincé et en frôlant les détritus du pied, que le trottoir rétrécissait dangereusement. L'atmosphère n'était pas à la joie. Pour Régot, tout était laid, aussi laid que ce qu'il vendait dans son magasin était doux, feutré, pastel, poétique et mignon. Hervé Coquerot acquiesçait : les derniers événements étaient vraiment moches, c'est vrai.

— Je ne sais pas si c'est une impression due à l'âge ou si c'est une réalité..., reprit Régot, le regard baissé et les mains dans les poches. Mais tout me semble gris et dégoûtant. J'ai l'impression que plus rien ne sert à rien. Les hommes, les choses... Tout est sale.

— Ça te fait combien, maintenant ? demanda Coquerot.

— Cinquante-deux, bientôt. Tu vois ce que je veux dire ? Prends les centres commerciaux, ces grands trucs en tôle de toutes les couleurs où les clients achètent des chaussures, des meubles, des voitures et des outils. Passe-moi l'expression, mais ces architectures vulgaires, c'est vraiment de la cochonnerie, non ? Combien d'arbres ils ont coupés pour planter leurs immondices ? Dans le temps, ça n'existait pas, ces horreurs. On ne peut pas dire que c'est un progrès. Détruire le paysage, étaler du bitume sur des kilomètres pour parquer les consommateurs, ça sert à quoi, tout ça ? Sûrement pas à embellir la vie des gens, à leur faire retrouver le sourire. Tu n'es pas d'accord ? Tu me diras : c'est la société de consommation, il y a des offres intéressantes et il faut vivre avec son temps... Je veux bien. Mais c'est laid. Alors, si vivre moderne, c'est vivre répugnant, pas étonnant que tout aille mal. Regarde nos magasins : ils sont petits, à taille humaine, plutôt bien arrangés, accueillants, on prend le temps. Tout le contraire de ces grosses machines où les gens ne sont que des clients, des moutons. Comment tout cela va finir ?

Une majorité de Nogentais partageait les sentiments du marchand de jouets. Tout semblait vain, les hommes fous et sadiques, les sociétés vouées à la tristesse et au drame. Il n'y avait rien d'autre à protéger que ses enfants. Le monde était mauvais, l'homme pervers et ses actes toujours intéressés. Manifestement, l'existentialisme n'avait pas atteint la rue Molière, à Nogent-les-Chartreux.

*

Paul Garand face à la vitre. La pelouse mitée, l'arbre chétif, l'humidité. Les immeubles poussiéreux d'en face. Les flics, les journalistes. Il pensait à Jordan Dumollet, qui aurait voulu « faire quelque chose de bien » au sein de cet honorable corps de la gendarmerie. Le petit Barnabé se retrouvait sans papa. Et sans comprendre. Il pensa à Nadine, avec qui il aurait voulu construire une vie jusqu'au bout, surmonter les embûches, affronter les situations critiques, élever cet enfant qu'il aimait plus que tout, pour lequel il s'inquiétait nuit et jour. Son fils, le seul être sur terre qui l'accrochait encore à l'existence, savait rêver à des mondes plus vastes, le nez dans les étoiles.

À part ses petits plats mijotés, tout était lourd chez ce père. Ses conseils, ses peurs, sa morale, sa dépression chronique, sa noirceur, sa paresse, le divorce qu'il ne digérait pas. Il pensa à sa ville, retournée comme une vieille chaussette trouée, sa ville apeurée, désertée, en état de choc. Les médecins signaient des dizaines d'arrêts-maladie. Surmenage, déprime, fragilité cardiaque, évanouissements inopinés.

Bertrand Caperet et David Duvorcher, en fuite, s'étaient fait serrer à la sortie nord de Dreux, au volant de leur 4 x 4. Cambriolage, deux morts dont un flic, ça allait chercher dans les quinze ans de cabane. Le maire avait fait voter dans la journée l'instauration d'un couvre-feu à partir de 21 heures. Demain, il y aurait deux cents flics de plus dans les rues. On retarderait l'accrochage des guirlandes de Noël. Jusqu'au retour du calme, Nogent serait le noyau conflictuel d'une France en dépression.

Paul Garand pensait, le nez collé à la vitre. *Les enfants... toujours émouvant de prononcer ce mot... Maintenant, on dit les mineurs... Ça aide à les foutre en taule... Saloperie d'enquête... et les morceaux dans les enveloppes... Combien d'énigmes, d'affaires non élucidées... mais... peut-être... attends voir... depuis déjà... deux, trois ans... une vengeance? De la folie pure... folie pure...*

La ligne intérieure sonna, l'expulsant de ses pensées.

— Oui?

— *Commandant, un homme pour vous à l'accueil. Ça n'a pas l'air d'aller très fort.*

— J'arrive tout de suite.

Il enfila sa veste bleu marine, tira la porte du frigo et but un demi-litre de jus de pamplemousse. Pour faire glisser.

L'homme, de petite taille, d'aspect plutôt élégant dans sa gabardine sable, la soixantaine et la calvitie assumée, leva la tête vers le gendarme. Il avait les yeux rouges de fatigue et d'inquiétude.

— Prunier, appelle Carali, dis-lui que je vais être en retard à la réunion. Commandant Garand, vous êtes monsieur... ?

— Jacques Champrier. Je viens pour signaler... une disparition.

— Venez, nous serons mieux dans mon bureau. Davier, tu prends note, s'il te plaît. Une disparition, vous dites ?

— Oui, je n'ai pas de nouvelles de ma fille, Martine, depuis avant-hier, et ce n'est pas du tout habituel, je ne sais pas…

— Asseyez-vous, je vous prie. Quel âge a votre fille ?

— Vingt-neuf ans.

— Vingt-neuf ans ? Elle est grande, votre fille…

— Oui, mais ce n'est pas normal…

— Vous voulez dire qu'elle vous donne des nouvelles tous les jours ?

— Non… enfin, oui… presque… un petit coup de fil pour savoir si tout va bien… Elle vit seule et…

— À Nogent ?

— À deux rues de chez moi, dans le quartier des Lumières…

— Vous êtes allé chez elle ?

— Bien sûr. Elle n'était pas là. Personne ne sait…

— La dernière fois que vous avez été en contact avec elle, vous l'avez trouvée comment ?

— Bien, sans problème apparent… C'était samedi après-midi, on a bu un café en ville…

— Elle a des relations ? Un ami ?

— Je crois. Elle est assez discrète sur ce plan-là… mais elle a une vie sociale… des amis… des sorties…

— A-t-elle une voiture ?

— Oui, une vieille. Elle est garée en bas de chez elle.

— Et professionnellement ?

— Des petits boulots, comme ça… de temps en temps… des traductions… des vacations, occasionnelles…

— Pas beaucoup d'argent, donc ?

— Pas trop, non… Elle ne cherche pas l'argent. Parfois, elle fait le service dans des restaurants… des extras dans des magasins au moment des inventaires…

— Elle pourrait être où, à votre avis ?

— Je ne sais pas… De toute façon, elle appellerait…

— Bon. Nous allons lancer un avis de recherche, monsieur Champrier, annonça Garand sur un ton qui se voulait bienveillant et dépourvu d'arrière-pensée, en dépit de la rapidité de sa décision, parfaitement inhabituelle. Votre fille va rentrer chez elle dans les heures qui viennent et vous téléphoner…

— Oui…

— Vous avez une photo, s'il vous plaît ?

— Je dois avoir ça… dans mon portefeuille… voilà…

— Récente…, prononça Garand dans son triple menton en essayant de ne pas penser au pire.

— Comment ?

— La photo, récente ?

— Oui, oui, six ou huit mois…

— Bien. Vous êtes chez vous aujourd'hui ? continua le gendarme dans un demi-sourire.

— Oui ?

— Parce que je vais vous envoyer une équipe. Vous accompagnerez mes hommes chez votre fille, si elle n'est pas rentrée d'ici là.

Le commandant fixait d'un œil sombre la photographie en couleurs. Les cheveux clairs de Martine Champrier, sa peau mate, sa taille mince, son air épanoui.

— Son visage me dit quelque chose. J'ai dû la croiser en ville. Est-elle sportive ? Un engagement politique ?

— Non… Elle est plutôt à gauche, mais… même…

— Même ?

— Très à gauche, mais dans aucun parti ni aucun mouvement… Enfin, je ne suis pas très au courant…

— Hum… « Travail, Famille, Patrie », c'est pas trop son truc, n'est-ce pas ?

— Oui, mais… pourquoi ces questions ? Je ne vois pas le rapport…

— Pour savoir… Le capitaine Davier va terminer de prendre votre déclaration. Il y aura quelqu'un chez vous à 14 heures ? Vous, ou la mère de Martine ?

— Ma femme est décédée… il y a un an…

— Pardonnez cette question idiote, monsieur Champrier… mais… 14 heures, ça va ?

— Oui…, répondit le petit homme avant de fondre en larmes.

— Monsieur Champrier…

— S'il lui est arrivé quelque chose…

— Monsieur, Martine n'est pas rentrée chez elle depuis à peine quarante-huit heures. Elle a vingt-neuf ans. Il n'y a aucun drame pour l'instant ni aucune raison de s'inquiéter comme vous le faites…

— Mais si ! Avec tout ce qui se passe…

— Bien. Vous allez rentrer chez vous. D'accord ?

— Oui…

— Prendre un petit quelque chose pour vous calmer.

— Oui…

— Mon équipe est là en début d'après-midi.

— Pour quoi faire ?

— Une simple formalité. Regarder dans l'appartement de votre fille, d'accord ? Je vous tiens au courant. Je vous laisse avec le capitaine Davier.

Garand serra chaleureusement la main du père de Martine.

— Monsieur Champrier, une dernière chose : ce n'est peut-être pas la peine de causer aux journalistes pour l'instant, d'accord ?

— Oui…

Il regarda le vieil homme s'éloigner, puis se tourna vers son subordonné.

— Davier. Mollo. Très, très mollo, OK ?

— Hum…

Le commandant prit la direction du bureau des capitaines. Faquin sur une chaise, dans un coin, boudeur, puni. Berthomme à l'ordinateur. Garand interpella le capitaine renfrogné.

— Tiens, tu t'es fait mal au nez ? Ah, gendarme, pas facile comme métier, hein ? Et ce rapport ? Ça urge. Berthomme, à 14 heures, tu vas chez Jacques Champrier. Avec Odile, ça le rassurera. Vous faites semblant de fouiller, pas la peine d'en faire trop et, surtout, vous prenez une fringue de sa fille, une culotte, un soutien-gorge, un cheveu sur une brosse, tu vois ce que j'veux dire. Et direct au labo. Analyse comparative avec ce qu'il y a dans les enveloppes. Capito ?

— Oui, oui…

— Berthomme ?

— Commandant ?

— C'est la merde. De plus en plus…

— Oui… Y a une vingtaine de journalistes sur le trottoir, caméras et tout. Qu'est-ce qu'on fait ?

— On leur dit d'attendre la conférence de presse. Fermement. Je file à la réunion avec Carali et Radieux. Tu dis à Jobert d'envoyer un mail à la préf', mais bon… pour la procédure… succinct.

Au moment où Paul Garand se saisissait de sa veste, sa ligne directe retentit.

— Nadine, je peux vraiment pas te parler, là. C'est la cata…

— *Dad, c'est pas Nadine !*

— Oh, Greg, pardon, j'allais partir, qu'est-ce qu'il y a ?

— *J'ai reçu une enveloppe dans ma boîte, putain !*

— Quoi ?!

— *J'ai du sang plein les mains ! C'est quoi, ce bordel ?!*

— Du sang ? Hein ? Nom de Dieu…

— *Ouais, alors, je fais quoi, merde ?!*

— C'est une enveloppe… Heu… amène-la au bureau, vite ! Tu la donnes à Berthomme, OK ?

— *C'est quoi, ce bad trip, putain !*

— Je t'expliquerai. Je dois filer. T'es pas au boulot ?

— *T'as pas vu la vitrine ? Liquidation totale. Il m'a filé ma journée, y a personne.*

— Heu, non ! Tu ne bouges pas, Greg ! Berthomme vient prendre l'enveloppe chez toi. OK ? Tu ne bouges pas de chez toi ! J'essaie de passer te voir en début de soirée, fils.

Garand fila voir Berthomme.

— Dis, tu cours chez mon fils chercher une enveloppe.

— Une enveloppe ?

— Oui ! Une saloperie d'enveloppe pleine de sang ! 36, rue Molière, quatrième étage. Il est prévenu. Et, cette nuit, tu mets un gars devant chaque boîte à lettres visée.

Mathieu

Papa l'a préfère tuer seul la fille… hm… car aut' jour tout vomir. Seul maintenant… hm… vec quarium, et lui faire des morceaux m'a dit… et brûle des restes dans… hm… four à pain. Moi pus dire rien… sinon venir fou comme papa. Peux pus… hm… voir, pus… dire, parler rien, sauf Jack Dempsey… hm… cause lui pas comprende mais regarde, acoute, oui. Jack Dempsey, toi sais l'assassin ? Comme père… assassin ! Tellement Jack Dempsey il gagne et… hm… champion de monde… l'est le tueur de Manassa. Comme ça l'appellent anamérique. Hm… père l'tueur Nogent, connu partout et d'venir un film ou un livre. Qu'est-ce ja faire après tout seul ? Hôpital ? Peux pas dire. Toi, Jack Dempsey… tour et tour dans quarium et garder secret… hm… Peut-être peux faire avancer… hm… fauteuil ectrique jusqu'à n'autoroute… et jeter dessus… fini, écrasé. Je fous… hm… maintenant, fous du père… et ici. Vie foutue. Drais être un poisson. Poisson bleu lumière comme Jack Dempsey. Sans mémoire et crever.

5 novembre

Vers 16 heures, les jambes flageolantes et toujours sans nouvelles de sa fille, Jacques Champrier entra dans la gendarmerie et se dirigea vers le bureau où Garand l'attendait. Un instant plus tard, les fonctionnaires présents dans le bâtiment entendirent un cri rauque et puissant. Un cri du ventre qui charriait des vœux de néant. Ils se précipitèrent. Paul Garand était penché sur le corps immobile du père de Martine et tentait de le ranimer en lui tapotant les joues.

— Prunier, le SAMU, vite !

— Qu'est-ce qui se passe, mon commandant ? demanda Berthomme, tandis que l'adjudante fonçait au standard.

— Je viens de lui donner le résultat des analyses.

— Vous lui avez dit que c'était sa fille, dans les enveloppes ?

— Qu'est-ce que tu voulais que je dise d'autre !

Les urgentistes investirent le bureau avec leur matériel de réanimation. Le massage cardiaque n'eut aucun effet. Le cœur de monsieur Champrier avait stoppé net.

— Berthomme, tu prends deux gars avec toi, je veux un rapport complet sur la famille. Voisins, amis, collègues, ce que tu trouves...

L'annonce officielle du décès de la fille et du père fut communiquée aux journalistes vers 18 h 30, dans le hall de l'hôpital de Nogent, par le directeur de l'établissement.

La journée du commandant était loin d'être terminée. Une équipe de la première chaîne de télévision française, spécialisée dans le sensationnel sirupeux et la larme à l'œil publicitaire, le harcela pour qu'il accepte une interview en duo avec Teddy Carali. Garand refusa, furibard, après une scène dont il avait le secret.

Dans la foulée, une Nadine plus inquiète que jamais l'appela pour lui lire l'article d'un psychiatre de renom, paru dans le journal du soir, expliquant que Nogent, saignée à blanc par la peur et hantée par son tueur, était en train de glisser vers la guerre civile.

Aussitôt, comme pour donner raison au psy de service, Henry Bourges, d'un appel sec et froid, lui intima l'ordre de faire respecter le couvre-feu : la rumeur d'une quatrième victime, répandue par les destinataires des enveloppes, étant confirmée, la foule, massée devant la mairie, réclamait sa démission à coups d'insultes, de boulons tirés au lance-pierres et de menaces de mort. Bourges se terrait sous son bureau. Il fallut dépêcher des CRS sur place, mais les hommes casqués échouèrent à contenir la castagne. Il y eut de la casse, de la lacrymo, des vitrines de banques ravagées, des pare-brise en miettes, des incendies de poubelles et une trentaine d'interpellations parmi les insurgés.

Enfin, à l'aube de cette nuit mouvementée pendant laquelle Garand s'étoffa d'au moins trois kilos de fatigue, de rillettes et d'angoisse, une intuition persistante, telle une écharde sous l'ongle, un éclair dans son ciel brumeux, une vision fugitive, le mit sur la voie…

6 novembre

Garand quitta le canapé, ouvrit la fenêtre en grand, s'étira longuement et s'emplit les poumons d'air glacé. Le froid d'hiver était revigorant. Il doubla les doses de robusta, attendit que le jus coule, se but un café carabiné avec trois sucres et regagna son bureau en prévenant le planton qu'il ne se laisserait déranger sous aucun prétexte. Sept heures. Il était temps de s'y mettre.

Précautionneusement, méticuleusement, la tête dans les mains, les yeux rivés sur une minuscule tache d'encre au centre de la première feuille de son calepin, il remonta les événements jusqu'à l'essentiel.

Martine Champrier, les enveloppes, la nuit du casse, le pauvre Dumollet sur le carreau. Le tueur profite du bordel. La discussion avec Greg et Élise, l'énigme, les lettres, les lettres… les enveloppes. Sûrement signées de la main gauche… Il s'amuse comme tous les dingues qui tuent, il cherche le contact avec l'autorité. Le préfet, le maire, les commerçants, Grégoire mort comme un chien, l'étang de la Benette. Je pêche, il pèche… Il profite de la peur. SUGET… SUGET… Jean-Gabriel Angelo, le marché, la foule. La foule, oui, il se fond dans la foule. Il est là. Il prend son pied à se balader librement. Et les signatures, les graffiti, les écriteaux, la peau d'Angelo, le tract dans sa bouche... C'est ça, un message. Un message pour moi... Les mots sur le tract : « solidarité », « usine », « grève », « emplois », « travailleurs ». Les enveloppes. La signature... Pour Bartavel, Grégory la découvre à ma place, et c'est là que le jeu commence. Il veut que je cherche, que je fasse mon boulot correctement, que je me creuse la cervelle...

Garand résuma sur son carnet ce qui lui traversait l'esprit. Et se relut.

Putain ! Le salaud ! Solidarité, S, Usine, U, Grève, G... SUGET ! Le G de « grève », ma petite Élise ! Nom de Dieu, il joue vraiment avec mes nerfs ! Ah, merci fiston, merci pour les lettres !

Le téléphone sonna une dizaine de fois entre 8 heures et midi. Garand ne décrocha pas. Il tentait d'établir la liste de tous les détails. Les regards, les gestes, les mots, les objets qu'il avait croisés depuis deux mois. Une mémoire dont il s'étonna lui-même. Il ne bougeait pas, les yeux rivés sur la tache d'encre et les premières lignes qu'il avait griffonnées.

Tache d'encre... juste une tache d'encre... SUGET 4, SUGET 3, SUGET 2, SUGET 1, SUGET 0. Est-ce qu'on décompte à partir de 4 ? Plus souvent à partir de 5, non ? Ou de 3. Il prévoit peut-être une cinquième victime. Tache d'encre... pâté... rature. Faute, erreur. Il se trompe exprès. J, je, je est un autre, un G, j'ai... Je patauge... merde !

Vers 10 h 45, alors qu'une fois de plus le téléphone venait de le faire sursauter, Garand entreprit de combler un léger creux qui le taraudait depuis une bonne demi-heure. Il se leva, ouvrit le frigo et reprit sa place, armé d'un saucisson dont il se coupa des tranches qu'il goba une à une.

Jeu, mots, lettres… Faut remonter avant. Avant ce petit jeu personnel… Les affaires, les disparus… ceux dont on n'a jamais eu de nouvelles… C'était quand, ça… les deux vieux calcinés dans leur salon… l'année dernière. Et, l'année d'avant, l'agression du jeune sportif… pas de coupable, rien, personne. Ça arrive. Des crimes parfaits. C'est malheureux, mais ça arrive… Plus malheureux pour les jeunes que pour les vieux, d'ailleurs. Au moins, eux, ils y sont presque, y a plus qu'à les pousser. Un jeune, c'est l'avenir… Attends… mouais… Vengeance ? Quand même, quelle dinguerie ! Et la fille du pâtissier qui se pointe comme une fleur au bout de deux ans ! Pourtant, je sens quelque chose… Putain… Un petit choc, ces derniers temps. Un regard bizarre, c'est ça. Finalement, quand on pense à la liste des suspects…

Garand nota encore quelques mots et poursuivit ses recherches. Il entendait vaguement, dans les couloirs, des bruits de pas, des sonneries, des ordres, des sons étouffés par les cloisons invisibles de sa concentration. Depuis combien d'années ne s'était-il pas ainsi centré sur sa fonction ? Il s'absenta un instant pour aller pisser.

Quand Berthomme toqua à la porte, il n'obtint pas de réponse. Alors, il entra sans autorisation. Personne. Il posa sur le bureau de son commandant une enveloppe aux armoiries de la mairie de Nogent et sortit.

À son retour, Garand se réinstalla à sa place, se reprit la tête à deux mains et parcourut sans la voir une série de lettres manuscrites sur un support couleur kraft. Une ligne courte. Deux mots. « Commandant Garand ». Encore un envoi en nombre.

Des conneries. Inauguration, commémoration… Commandant Garand… Combien de fois l'ai-je entendu, ce commandant Garand…

Il scruta l'enveloppe, sa taille, ses contours. Ce n'était qu'une enveloppe.

À l'époque, je n'avais rien reçu, mais pour entendre, ça, j'en ai entendu… Pas vraiment des menaces, non… trop peur de l'outrage… Commandant Garand ceci, commandant cela, un incompétent, une honte pour la France, un fainéant… démission… vous aurez de mes nouvelles… De la colère. Puis il s'est calmé – excusé, même. Puis plus rien. Cordialité. Un peu étrange, quand on y pense… Combien de temps pour que la folie s'empare d'un homme ? Combien d'années… Pourquoi pas une vengeance, après tout ? Ne rien exclure. Un châtiment, ça se prépare, ça s'organise, ça se cuisine ! Ça s'échafaude au rythme de la folie qui monte. Marmite sous pression, bouillonnement silencieux… et la folie est là, partout, dans tout le corps… et la marmite explose. C'est le carnage sans fin. Des tas de gens doivent mijoter quelque chose sans qu'on le sache, au fond… des mecs qu'ont toujours le fusil chargé, capables de foutre le feu à une caravane pleine de gosses ! Protéger les gens. C'est ça, mon boulot, non ? Protéger les gens contre eux-mêmes et la folie meurtrière… Bartavel, Giacomet, Angelo, Massa, Champrier, B, G, A, M, C… pff.

Ce n'est que vers 19 heures que Paul Garand décrocha son téléphone.

— Commandant Garand à l'appareil. Excusez-moi de vous déranger, mais j'aimerais vous poser quelques questions, si vous n'y voyez pas d'inconvénient…

— *Pas du tout.*

— J'aimerais avoir votre sentiment sur ce qui se passe actuellement à Nogent. Des détails…

— *Oui… je vous écoute.*

— Eh bien, pourrions-nous nous voir à la gendarmerie ?

— *Si c'est nécessaire, bien sûr…*

— Après-demain ?

— *Je suis disponible dès demain matin, si vous voulez…*

— Non, demain, désolé, je suis en déplacement. Après-demain, 10 heures, ça vous convient ?

— *Oui, très bien.*

— À bientôt, alors. Et merci.

7 novembre

La grève des poubelles portait ses fruits putrides. Nogent puait. Une pestilence digne d'époques révolues se dégageait des monceaux de déchets. Des montagnes d'invendus, des denrées périssables, des cartons et des caisses de polystyrène pourris envahissaient les parkings des supermarchés. Dans le centre, les trottoirs devenaient impraticables. Les containers débordaient, les sacs noirs et verts s'empilaient devant les immeubles. La nuit, chats et chiens se disputaient les immondices dégobillant des plastiques éventrés. Ça puait la carcasse de poulet, l'oignon et la vieille croûte de fromage, la peau de lapin et les asticots dodus, ça puait le beurre rance et le pinard au vinaigre, le chou abîmé et le poireau gâté, le reste de bidoche et le talon de jambon corrompu, ça puait ce mélange complexe d'aliments avariés et d'emballages salis qui produit le jus de poubelle, l'auréole grasse sur le bitume, ça puait ce qui colle, ce qui poisse et glisse, ce qui expire. Ce nuage d'odeurs incalculables stagnait sur Nogent comme le brouillard de la honte. À l'odeur de la peur, à l'odeur de la sueur s'ajoutait celle du malsain.

Les éboueurs étaient des lâches, des salauds. On allait leur faire reprendre le boulot ! On allait embaucher des nervis ! On les expulserait de la boîte à coups de barre à mine, on les remplacerait par des jaunes, on leur fracasserait les dents, mais les poubelles seraient vidées ! On obtiendrait l'aval de la mairie qui payait ces traîtres avec l'impôt citoyen ! On les materait ! Ils déguerpiraient de l'entrepôt, avec les chiens si besoin ! Ils rendraient les clés, de gré ou de force ! Là, oui, tous ensemble, on trouverait la force, la solidarité nécessaire pour que Nogent, si jolie ville, cesse de puer ! Contre la racaille syndicale, on avait de la ressource ! Pas besoin de gendarmes !

Un irrépressible besoin de solitude aiguillonnait Paul Garand. Abonné à l'isolement dépressif depuis dix ans, il revendiquait maintenant l'isolement réflexif. Il était sur le point de mettre le doigt là où ça réagirait. Le rendez-vous du lendemain serait peut-être décisif.

Depuis combien de mois, combien d'années, était-il resté plus de dix heures sans appeler Nadine ? À cette question, l'un et l'autre auraient répondu : « Jamais. » Or, ébranlé par le tour qu'avait pris son existence de flic de province, Garand avait fait passer son ex-compagne au second plan de ses priorités. Son fils avait reçu la sixième pièce d'un puzzle macabre et, ça, il ne pouvait pas l'avaler. Certes, sa conscience professionnelle avait été réactivée par une atteinte personnelle plus que par le souci du bien public, mais le fait est : Grégory était visé. Son père l'était donc, à travers lui. Alors, il fallait agir, et trouver. Vite. Ne serait-ce qu'un détail, à l'origine d'une série de déductions, un début de piste pour apaiser les esprits, étayer les confiances délitées et amoindrir les peurs, dégonfler la psychose et reconstruire la raison, ranger les fantasmes sur les étagères freudiennes à côté d'Œdipe, des névroses et des lacaneries mal digérées, de la culpabilité éternelle, du péché et du confessionnal, version verticale et divine du divan de cabinet. Être seul, oui. Quitte à assumer cette bizarrerie malvenue, à s'attirer les foudres des autorités municipales et les blâmes de sa hiérarchie, à renvoyer une image inhabituelle, celle d'un Paul Garand réfléchi, concentré, déconcertant.

Depuis la mort de Martine Champrier, les habitants ne vivaient plus. On rejoignait sans un mot le bureau, l'atelier, le magasin. Des trajets rectilignes d'animaux traqués. On croisait, l'œil torve, les patrouilles des GIR ; on les saluait timidement d'un strabisme sartrien. On bloquait les volets des rez-de-chaussée avec des manches à balai, des lattes de parquet ou des pieds-de-biche ; on poussait un meuble contre la porte d'entrée pour la nuit.

Après une augmentation phénoménale du nombre des agressions dans la rue et sur les lieux de travail – quiconque osait minimiser le danger ou condamner l'arbitraire d'une répression qui se trompait de cible se voyait contraint de fuir devant la haine des défenseurs de cet ordre-là, ou se faisait tout bonnement casser la gueule au milieu des badauds immobiles –, c'est au sein des familles que des drames éclataient. Vieilles querelles moisies, contentieux en sommeil, rancunes anciennes, tout était bon pour ressortir les reliques d'un passé glauque. Et s'en repaître. À la gendarmerie, on n'avait jamais reçu autant de lettres de délation.

Chez les Delive, par exemple, ce matin du 7 novembre, ça avait pété dans tous les sens. Marc, le père, avait ordonné à son fils Jason de nettoyer le pétrin avant « d'aller faire j'sais pas quoi avec tes connards de copains que ça zone toute la journée au lieu d'bosser comme tout l'monde ! ». Jason avait tenu tête. Ras le bol de briquer le pétrin. Il avait envie de faire autre chose que du pain. Des gâteaux, des brioches. « Tu feras des brioches quand tu seras capable de tenir un fournil correctement. Et avec tes deux mains gauches, c'est pas demain la veille ! Bougre d'abruti ! » Mais Jason avait résisté. C'était vendredi, il avait bien le droit de prendre un petit moment pour aller voir les potes sur la place, avant de revenir défourner. « Nom de Dieu d'bordel, tu vas faire c'que j'dis, oui ou merde ! Mais quesse tu t'crois, morveux ? Qu'ça va te tomber tout cuit dans l'bec ? Ta mère et moi, j'te signale que ça fait un bout d'temps qu'on te nourrit ! » Jason avait lancé que, de toute manière, il avait changé d'avis, il ne voulait plus faire boulanger : à Nogent, il n'y avait pas de débouché. « Débouché ! C'est toi qu'es bouché, espèce de p'tit con ! » Et le poing du père avait atterri sur le nez de son fils. Propulsé en arrière, Jason, le pif en sang, avait basculé dans le pétrin qu'il aurait peut-être dû nettoyer sans rechigner. Le père écumait de rage au-dessus de son fils figé dans la vieille pâte. « T'as compris ? » Jason ne répondit rien. Il regarda son père dans les yeux en pensant que le vieux ne perdait rien pour attendre. « T'AS COMPRIS ? » hurla Delive avant que sa femme intervienne. Monique réclama timidement des explications. « Rien. C'est ton fils. Il a des idées. » L'idée ! Voilà l'ennemie jurée ! Marc Delive mettait un point d'honneur à en être crassement dépourvu, à l'exception d'une seule, énoncée de façon récurrente à qui prêtait l'oreille : « Les gouvernements, ça fait cinquante ans qu'ils ont pas une idée. Alors, forcément, c'est la merde ! » Merci, Marc. Quelle lucidité !

Ce matin du 7 novembre, dans un brouillard à couper au couteau, la vapeur du danger abattue sur la ville, on était donc resté chez soi. Paul Garand, lui, devait se rendre à Chartres, à une cinquantaine de kilomètres de son canapé. Il y était attendu par le préfet, le président du conseil général et le colonel Muscat, chef des forces de gendarmerie. Décidant de laisser arme et uniforme à la maison, inutile d'en faire des tonnes pour ce genre de réunion, il enfila un pantalon de velours noir, une chemise molletonnée et sa gabardine de Columbo. Puis il démarra son véhicule de service, sortit du parking et tourna à droite. Nord-est, direction Illiers-Combray par la D922.

Curieusement, la brume était moins dense sur la départementale que dans l'agglomération. Le vent, peut-être. Cent cinquante mètres de visibilité. Circulation fluide. Concentré sur la bande d'asphalte qui traversait le bois de la Gaudrielle et roulant prudemment dans sa petite auto de fonction, Garand ne fit aucun cas de la grosse berline qui le suivait de loin. Une Audi 80 gris mat, aux vitres teintées.

Roulez, commandant Garand. Je suis juste derrière. Après Chassant, si vous passez par la Pierre-Aiguë, vous êtes foutu. Votre carrière de tire-au-flanc va prendre fin, écrabouillée au fond du ravin ! Qu'est-ce que vous méritez d'autre, Paul Garand ? Je m'occupe des feignasses qui laissent courir la racaille, pourrir les affaires, mourir les innocents !

Et j'aimerais que vous sachiez ce qu'est le travail bien fait. Leçon de méticulosité, mon cher. Mon Dieu, soutenez-moi, le bonheur est là... Oui, je fais les choses, et je les fais bien. Combien de parasites éliminés depuis deux mois sans que tu dégotes le moindre indice ? Mais tu n'as rien remarqué, hein ? Non, toi, tu es attentif à ta tranquillité, à ton repos de fonctionnaire. Évidemment, les résultats s'en ressentent. Tu ne perds pas ta vie à la gagner, toi. Non, tu perds du temps pour vivre à ton rythme, paisible. Finalement, Garand, tu incarnes la société des loisirs. Celle des gros porcs comme toi ! L'histoire de l'humanité, c'est le travail des hommes. Ce qu'ils ont inventé, ce qu'ils ont créé, produit, construit de leurs mains ! Le monde ne progresse pas dans la paresse. Jusqu'à quand, paresseux, resteras-tu couché ? L'oisiveté ne crée aucune richesse. C'est le travail qui libère les gens. Les individus de ton genre, ceux que j'ai rayés de la carte, s'aliènent dans l'inaction. Et toi, regarde un peu le spectacle que tu donnes à la jeunesse. Tu es obèse, inerte, tu profites de tout, la bouche toujours pleine, tu sues la graisse, sale porc. On dit aux jeunes d'être raisonnables, de défendre des valeurs, de se construire un avenir, et qu'ont-ils en exemple ? Un gros porc, soi-disant gardien de la paix. Et pendant que tu te vautres dans un plaisir qui ne te revient pas, comme tous ceux qui paressent, bloquent tout, croupissent, appauvrissent la communauté, profitent et trompent, oui, pendant ce temps, Garand, d'autres se donnent, s'offrent et s'acharnent. D'autres s'acharnent, Garand. Tu sais à quel avenir était promis mon fils, avant d'être victime de la bande de salopards dont tu n'as jamais retrouvé la trace ? Tu sais à quoi il se préparait ? Les jours, les mois d'entraînement ? Tu connaissais son énergie ? Son courage ? Sa ténacité ? Maintenant, il bave, mon fils, il dégueule, il fait sous lui, et chaque fois que je nettoie sa merde, Garand, je pense à toi et au boulot que tu n'as pas fait ! Alors, accélère un peu, qu'on en finisse.

Le brouillard se dissipait à la sortie du village de Chassant, et Garand se félicitait par avance. Grégory serait fier de lui, cette fois. Rudement fier, bordel ! Il allait la jouer fine et coller cet enculé de tueur en garde à vue, sans traîner. Tiens, pour fêter ça, il lui préparerait un petit tajine des familles, mon pote, aux p'tits ouagnons, avec pruneaux, coriandre, persil, amandes, sésame, cumin, paprika et cannelle ! Bœuf ou agneau ? Les deux, mon commandant ! Bien sûr, on inviterait la copine, là, Elsa. Of course, Daddy !

Tu vois, mon gros Garand, j'ai toujours eu de la chance. Le hasard et la chance sont les jalons lumineux du chemin qui nous a été tracé. Je peux Lui dire merci. Oui, je sais ce que cela peut avoir de ridicule pour une tête pleine de pizza comme la tienne. Tu n'es pas du genre à croire, toi. Cela te passe au-dessus. Moi, je crois. Je suis appelé. Une force. Une puissance. Pourquoi les hommes élisent-ils des hommes pour présider aux destinées des peuples ? Pourquoi des chefs, des dirigeants, des maîtres, des souverains, des leaders et des commandants ? Un besoin naturel. Pour moi et pour des milliards d'êtres humains, monsieur Garand, l'instance supérieure, c'est le père. Le père. Celui que tu n'as jamais été. Celui qui aide, protège, défend ses enfants, ouvre la voie. Appelle ça comme tu veux. Ça nous pousse à vivre, à changer le monde, Garand. De siècle en siècle. Mais tu n'es pas de ceux-là, hein, commandant. Toi, tu profites du monde, n'est-ce pas ? Ce monde qu'Il nous a laissé pour qu'on en fasse quelque chose. Un monde où tout est possible ! Une perfection. Propre, débarrassée de ses herbes folles. En progrès. À nous, les pères !

La carrière de calcaire tendre, dite de la Pierre-Aiguë, s'étendait le long de la route d'Illiers-Combray. Excavatrices et concasseurs avaient creusé des millions de mètres cubes en contrebas. Du haut de son remblai, la départementale surplombait les alignements de blocs, les montagnes de sable et de caillasse, les parois fendues du grand cirque blanc. Les glissières de sécurité, en bois pour un meilleur respect de l'environnement, séparaient la chaussée de l'à-pic vertigineux conçu en terrasses. L'« escalier des géants », disaient les employés. En bas, les broyeurs à percussion turbinaient pour fournir l'industrie en calcaire sous forme de chaux, de granules, de moellons. Garand se rappelait avoir lu qu'on utilisait de la chaux dans les tacos mexicains pour équilibrer l'acidité des condiments épicés.

Il s'engagea sur cette portion de route surélevée, avala les premiers virages et accéléra légèrement sur la ligne droite qui dominait la vallée artificielle des vendeurs de cailloux. Les mâchoires des tractopelles creusaient la roche. Garand chipait, en conduisant, des pincées de noix de cajou dans un sachet posé sur le siège passager et se les enfournait sans scrupule, avec le sourire. Il était détendu et exceptionnellement sûr de lui. La brume s'était presque dissipée, jamais il ne s'était senti aussi optimiste.

La berline grise s'était rapprochée. Un peu trop, même. Garand maintint sa vitesse, quatre-vingts kilomètres à l'heure environ, mais la berline collait. *Qu'est-ce que c'est que ce con ? Double, débile !*

Je suis là, Garand. Tu vas enfin payer. Pour mon fils et tous ceux qui attendent que justice soit rendue. Herbe folle ! Je libère l'humanité de son chiendent ! Ce n'est pas miraculeux, ça ? Hein, Garand ? Avoue que c'est miraculeux ! Je fais le travail qu'Il m'a confié, rien de plus. L'oisiveté, mère de tous les vices, est la lie de l'existence. J'ai des lettres, tu vois ? J'ai lu Robinson Crusoé, *moi ! Les livres ouvrent la voie de la vérité. Et, pour une fois, je ne tremble pas. Mon devoir me guide. Saint Benoît, Garand, souviens-toi de saint Benoît ! Qui est l'ennemi de ton âme ?*

La berline profita des huit cents derniers mètres de la route en surplomb pour doubler. Le conducteur pressé stabilisa son véhicule à la hauteur de la Clio de fonction.

— Qu'est-ce que t'attends pour doubler, connard ! gueula le flic à travers la vitre.

Pas de chef-d'œuvre dans la paresse, Garand !

Il lui suffit d'un regard pour reconnaître son agresseur. Le fou hurlait, la bouche grande ouverte, la tête tournée vers le SUGET 5.

Je suis le père, Garand ! Le père de tous ceux que tu as négligés au long de ta médiocre carrière ! Voici ton tombeau !

Rouge de la colère de Dieu, l'homme comprima plus encore ses poings sur le volant et, d'un terrible quart de tour à droite, percuta la voiture du gendarme. Perdant tout contrôle, Garand ne put éviter la glissière de sapin, qui se brisa net. Luxation de l'épaule gauche. La Clio plana un instant, s'écrasa sur la fin du remblai et dévala la pente. Tassement des cervicales, ouverture de l'arcade sourcilière gauche, fracture du poignet droit. Plusieurs tonneaux décrivirent des arcs d'acier et de poussière. Plaies multiples au visage dues aux éclats de verre, enfoncement du sternum, fracture de l'arête nasale. Puis la voiture ricocha sur plusieurs marches du grand escalier de roche. Nombreuses contusions au thorax, fracture des tibias, perforation de la cuisse droite, perte de connaissance. Elle stoppa sa danse en tourbillons sur la dernière des terrasses, juste avant le fond du gouffre, évitant ainsi de s'empaler sur les angles vifs d'une niveleuse jaune citron de trente-deux tonnes.

La berline était déjà loin.

Plus tard, médecins, pompiers, policiers se partagèrent le travail. Des techniciens, sur la route, balisaient, photographiaient, réfléchissaient aux causes de l'accident. D'autres, au fond de la carrière, escaladaient les rochers pour atteindre le véhicule en bouillie, s'assuraient de sa stabilité, sans s'illusionner sur les résultats des premiers examens cliniques. Garand avait l'air d'une énorme poupée désarticulée. Un bras pénétra dans l'habitacle. L'index et le majeur du secouriste réussirent à se poser contre sa gorge, à l'endroit où plus rien ne semblait palpiter.

— Il est vivant !

8 novembre

Grégory était blanc comme un linge, les cheveux en bataille et la langue pâteuse après sa nuit d'errance entre une salle d'attente du CHU de Chartres et le couloir du service de réanimation d'où il avait observé son père des heures durant. Tout empeste tellement la mort dans les couloirs d'hôpital : la javel, le désinfectant, l'antiseptique, comme si la traversée du Styx requérait une hygiène impeccable, les lumières blafardes des néons qui jettent sur les visages des ombres grises et creusent la chair ; les blouses blanches des infirmières, qui glissent d'une chambre à l'autre sur les revêtements plastiques comme des fantômes empressés, harcelés par l'urgence, piquant ici, prélevant là, reculant l'échéance et le moment où les curetons bondiront pour distribuer l'extrême-onction ; les chariots de linge propre et de draps sales qui se croisent à la sortie des ascenseurs ; odeurs de bouillie, odeur de pourri. À l'heure des repas, l'incomparable parfum des plateaux à compartiments : ça trempe dans la sauce incolore ou c'est sec comme des cheveux, haricots tièdes, copeau de beurre mal fondu, tranche de dinde cuite, marron autour et rose au milieu, yaourt à la fraise blanche et pomme froide. Ça sent le sapin. Et tous ces bruits qu'on voudrait feutrés et qui trouent le silence, agressent les tympans, te rappellent qu'ici le repos est bientôt éternel : la roue d'un lit coincée, la sonnerie d'un téléphone, le grincement d'une porte coupe-feu, le son d'un téléviseur. Et toi, là, dans ce lit blanc qui pue l'alèse, à côté de la vieille tubée, obligé de te farcir du « Vivement dimanche » et de la « Sacrée Soirée », toi, tu n'as pas envie de crever devant ces têtes de cons (ces fascistes, dirait Marcello dans *La Dolce Vita*), non, tu veux vivre, manger, pêcher, baiser, revoir Cline Izwood dans *Le Bon, la Brute et le Truand!* Papa, réveille-toi ! Mais pourquoi ils t'ont foutu avec cette vieille à l'eau de Cologne ? En plus, elle est sourde et pas rasée et elle pue la mal torchée et elle va crever ! Merde ! Retirez-lui ce cadavre !

Vers 20 heures, Grégory s'apprêtait à sortir fumer sa cinquantième cigarette quand le docteur Marquet l'interpella.

— Je viens de voir votre père. Son état est stationnaire pour l'instant. Je suis désolé de ne pas pouvoir me prononcer sur la suite... Enfin, je ne vous cache pas que je ne suis pas très optimiste. C'est déjà une sorte de miracle qu'il soit toujours en vie, vous savez... Alors nous faisons tout ce qui est en notre pouvoir pour maintenir en l'état ses fonctions vitales, mais je ne peux que vous répéter ce que je vous ai dit cette nuit. Le coma est profond. On le garde en réanimation. Je vous donne du nouveau dès que je peux. D'accord ?

— Coma profond ?

— Oui, mais, vous savez, tout est relatif. Ça peut durer des mois ou simplement quelques jours. Parfois, on a des surprises. Cela dépend de la constitution de l'accidenté. Votre père est solide. Un homme de soixante kilos n'aurait pas survécu à un tel choc. On peut dire que sa stature et son poids sont des atouts.

— En réanimation pendant des mois ? demanda Grégory, qui ne pouvait plus retenir ses larmes.

— Non, pas forcément. On ne reste pas en réa pendant des mois. C'est le coma qui peut être long. Mais cela dépend de beaucoup de paramètres. Pour l'instant, il est à cinquante pour cent d'oxygène. Ça veut dire qu'il possède encore une certaine autonomie respiratoire, et c'est plutôt bon signe. Il faut attendre un peu…

— Et le tueur, vous croyez qu'il va attendre que mon père se rétablisse ? lâcha Grégory sur un ton teinté d'agressivité en s'essuyant le visage.

— Monsieur, nous sommes dans un hôpital. Ici, nous ne menons pas d'enquête criminelle. Nous avons bien d'autres priorités. Essayez de vous calmer et de prendre votre mal en patience. Votre père est vivant, d'accord ? Je fais tout pour qu'il s'en sorte. Hum… je vais vous prescrire un petit quelque chose, si vous voulez, et vous allez rentrer chez vous. Il faut dormir un peu, d'accord ?

— Faut que je reste, dit Grégory, qui regrettait sa question idiote.

— Pourquoi ?

— Ma mère devrait arriver… de Paris. Devrait être là, d'ailleurs.

— Bien. Alors asseyez-vous et prenez une boisson chaude… On se revoit dans la journée, d'accord ?

— Oui, oui, merci…

Le docteur Marquet était de ces rares médecins qui, par leur comportement, leurs gestes, leurs regards et leurs mots, se désolidarisent de l'engeance médicale ayant, le plus souvent, semble-t-il, pour règle d'adopter des attitudes ignobles à l'égard des malades afin de paraître compétente.

Grégory coinça sa cigarette entre ses lèvres et se traîna de quelques pas vers la porte coulissante du vaste hall. Dehors, un vent glacial lui prit les vertèbres. Il s'adossa au béton recouvert de carreaux de céramique blanche, sous l'auvent. Sa grande carcasse était gelée. Il alluma le bout touffu de sa Fleur de Pays en protégeant d'une main tremblante la flamme du briquet, tira trois longues bouffées, inspira jusqu'à ce que la fumée pénètre bien au cœur de ses poumons. Le vent, la colère, l'angoisse, la fatigue lui arrachaient des larmes. *Et s'il meurt. Et s'il meurt…*

Prévenu la veille en fin d'après-midi, il avait été refoulé à l'entrée du bloc de réanimation. Il avait été si choqué par la vision volée de son père défiguré, à travers la porte vitrée, qu'il n'avait pas insisté et s'était enfui. Il s'était alors rendu sur les lieux de l'accident avec la voiture de Magali, mais la Clio de son père, tas de ferraille effrayant, avait déjà été enlevée et déposée sur le parking de la section de recherche. Il avait observé les traces sur la route. Une langue de bitume lisse et droite. Pas une bosse, pas un nid-de-poule. Une ligne blanche et rectiligne. Et l'endroit précis du choc. La gomme noire sur l'asphalte qui se décale brusquement vers la droite. Le rondin de sapin brisé net, les piquets descellés de leur socle de ciment. Les sillons creusés dans le remblai, des arbustes arrachés. Son père ne buvait jamais une goutte d'alcool, respectait les limitations de vitesse. Trente ans de conduite dans les pattes. Une ligne droite, sans obstacles, une circulation fluide et une voiture qui défonce la glissière de sécurité sans raison ? Il avait regagné l'hôpital en espérant se tromper dans ses suppositions. À travers les vitres d'une pièce encombrée de machines clignotantes, de tuyaux, de goutte-à-goutte, de chariots et d'écrans, il avait regardé son père. Le visage criblé de plaies. Des tubes dans les narines, la bouche. Le bip lent et régulier de l'électrocardiogramme. La boîte à oxygène. La vie qui continuait, artificiellement. *Mon père est encore vivant, mais s'il meurt…*

Perdre son père aujourd'hui, à vingt-cinq ans, Grégory ne pouvait l'accepter. C'était s'inscrire sur la liste. *Tu es le prochain, mon vieux, et tu n'y peux rien.* Mais il n'est pas mort ! Il peut s'en sortir. Le toubib l'a dit. *Tu espères. Tu as vu dans quel état il est ? Tout est cassé.* Et alors ? Ça se répare, non ? *Oui, mais à quel prix ? Dans une chaise roulante pour le restant de ses jours ? Dans cette ville de merde ? Tu l'aideras à se déplacer, à pisser, à chier, à bouffer ? À charge pendant vingt piges ? Tu supporteras son corps ? Ah, le corps, c'est un problème, ça, non ? Quand il faut se le traîner ou traîner celui d'un autre. Et puis il va maigrir à vue d'œil, sa peau va tomber comme un vieil airbag usagé. Alors ?* On n'en est pas là. *Oui, tant qu'il y a de la vie… toutes ces conneries ! Tiens, prends donc le médoc que te conseille Marquet.* Oui, c'est ça. Dormir. Mais comment ? Parce qu'il y a ça, aussi. L'échéance du sommeil. Comment je vais faire si je ne dors pas, si je pense à lui toutes les nuits ? Je vais avoir une gueule terrible et prendre un sacré coup de vieux, non ? Le sommeil. Les images se mettent en branle quand on est allongé. Toutes en même temps. La voiture. La chute, le choc, le bruit. Et, à l'intérieur, la chair qui se fend, les os qui se brisent, les cris inaudibles et impuissants, les tentatives microscopiques dans le temps si bref de la dégringolade pour se protéger le visage, se recroqueviller, se coucher sur le siège voisin, les regards ballottés par les secousses, tout cela je l'imagine. Et j'imagine ta mort et les jours qui suivront. On aurait pu se parler encore... même si, parfois, je faisais une croix sur le dialogue. Qu'il était chiant, ce flic, c'est vrai. Peine perdue, quel gros con, voilà ce que je me disais. Et puis il se ramenait, un soir, à l'improviste, avec une terrine de noix de Saint-Jacques. Et on causait. Ou pas. Mais, au moins, on se disait que c'était bon.

Grégory se roula une autre cigarette en se tournant vers le mur pour se protéger des bourrasques. Le tabac s'envolait, la feuille se pliait n'importe comment, ses doigts secs et gelés glissaient bêtement sur le fourreau Zig-Zag. Son ventre vide gargouillait, mais il n'aurait rien pu avaler. Une douleur l'oppressait. Dans la poitrine. Et l'angoisse dans les tempes. Ces battements lancinants qui n'ont plus rien d'animal. Ces images, fondamentalement humaines, qui cognent contre les parois du crâne. Images innombrables comme des électrons fous dans une caisse d'acier trop étroite. Elles exécutent la chair humaine, la privent de sa moindre parcelle d'énergie et polluent le cerveau sans s'arrêter jamais. Persuadent leur proie que cette torture n'a pas de fin. Anéantissent toute volonté d'action au profit des obsessions en enfilade. Durcissent le corps, le métamorphosent en une espèce de bloc de terre, d'argile graisseuse sans force, inerte, y creusent les galeries du désespoir. Les sables mouvants de l'angoisse où Grégory s'enlisait. Plus l'esprit s'agite, plus le corps s'enfonce.

Le taxi s'arrêta le long du trottoir contre les containers débordant de détritus. Nadine Garand sortit en rajustant son foulard. Le chauffeur déposa son sac de voyage à ses pieds, s'éloigna vers d'autres courses. Nadine portait un long manteau bleu, un pantalon noir épais et des bottes de cuir à semelles plates. Elle était maquillée, coiffée, comme une comédienne de cinquante ans qui ne court plus après le cachet. Ce n'est plus utile. Monsieur subvient aux besoins.

Elle aperçut Grégory, de loin. Il ne fit aucun signe, paralysé sous l'auvent. Alors elle empoigna son sac LV et le porta seule jusqu'à lui, au sommet du perron. Elle eut un mouvement pour embrasser son fils, timide élan conventionnel que ce dernier cassa en même temps qu'il écrasait sa cigarette dans le cendrier de sable.

— On n'a qu'à rentrer. Ça caille ici, dit-il en tournant le dos à sa mère, sans chercher à savoir si le sac était lourd.

Les journalistes tournaient en rond dans le hall. Nadine suivit Grégory jusqu'à la cafétéria, le lieu le plus triste qui soit. L'endroit où se tordent les doigts en silence, où s'étiolent les espoirs, où se figent les plus interminables attentes. Ils s'installèrent à une table près de la fenêtre.

— J'ai pris le premier train. Celui de 7 heures. Quand tu m'as prévenue, hier soir, le temps de s'organiser, tu comprends…

— Tu bois quoi ?

Nadine regardait le visage de Grégory. Elle y lisait l'épuisement, l'angoisse. Et la froideur.

— Un chocolat chaud, s'il y a…

— Pas de train pour Chartres hier soir…, dit Grégory, presque pour lui-même.

— Si, sûrement, mais… le temps de s'…

— S'organiser, oui, ça suffit. Il est au quatrième. En réanimation.

Un silence.

— Tu as une tête, mon fils, fit Nadine en lui posant la main sur l'avant-bras.

— Coma profond, répondit Grégory en se levant pour se diriger vers le comptoir.

Il revint deux minutes plus tard avec un chocolat et un café dans des gobelets en carton. S'assit et tourna les yeux vers l'extérieur.

— On peut le voir ?

— À travers des vitres seulement.

Il y eut encore un silence. L'ambiance s'alourdissait.

— Écoute, Grégory. Ne m'en veux pas de n'arriver que ce matin, j'ai fait ce que j'ai pu, je suis là maintenant. Alors tu peux quand même m'adresser la parole, me dire ce qui s'est passé…

— Te fatigue pas, s'il te plaît. Tu es là, c'est bien, c'est normal, on va pas faire une cérémonie. Tu vas le voir, puisqu'il est vivant, je vais te dire ce qui s'est passé et ensuite je t'accompagnerai à ton hôtel. Ça te va ?

Nadine ne répondit pas et mit cela sur le compte de l'inquiétude. Elle but une gorgée de chocolat tiède.

— Mais j'y pense… L'hôtel, ça me… J'ai connu du monde, ici. Si des gens me reconnaissent, je sais pas, des commerçants… L'hôtel, c'est un peu… Tu trouves pas ?

— …

— Tu verrais un inconvénient à ce que je m'installe chez Paul ? Pour deux ou trois nuits, pas plus…

— Ça m'est égal, lâcha Grégory après un temps de réflexion.

— Je dormirai dans ton ancienne chambre ou sur le canapé. Tu sais, je ne fais pas de manières et, avec Paul, on se téléphone presque tous les jours, tu sais…

— Tu veux t'installer tout de suite, ou monter d'abord au quatrième ?

— J'aimerais le voir, si ça ne t'ennuie pas.

Ils n'échangèrent plus un mot, ni dans l'ascenseur, ni dans les couloirs.

Derrière la vitre, en regardant Paul sans pouvoir l'approcher, Nadine se mit à pleurer. De grosses larmes coulaient sur ses joues, entraînant le maquillage. Elle avait de la peine à y croire.

— Qu'est-ce qui s'est passé pour qu'il soit dans cet état ? balbutia-t-elle.

— Un accident de voiture. Je vais t'accompagner chez lui.

Nadine entra la première dans ce qui avait été, dix ans plus tôt, son appartement. Elle retrouvait les lieux comme elle les avait quittés. La poussière en plus. Les meubles n'avaient pas bougé. Les photos non plus. Elle et lui, vingt ans plus tôt. Les rideaux, le papier peint et, détail si peu anodin dans leur histoire sans fin, un ancien sac à main de toile beige pendu au portemanteau.

— Mon père ne fait jamais le ménage, tu t'en doutes.

— C'est pas grave, ça ira, murmura Nadine, émue par les objets et ce qu'ils signifiaient. Grégory... cet accident... tu as des détails ?

— On ne sait rien. La voiture est aux analyses. Mais...

— Quoi ? demanda sa mère en s'asseyant dans le fauteuil de Paul.

— Y a un truc qui déconne. Je suis allé voir à la carrière. C'est une ligne droite. À moins d'être complètement bourré ou de vouloir éviter un obstacle, un animal ou je ne sais quoi, impossible de se planter à cet endroit-là.

— Que disent les gendarmes ?

— Rien. Enfin, ils ont relevé des traces un peu partout. Ils vérifient, ils font le tri. Vu ce qui se passe en ce moment dans cette ville, ils font gaffe.

— Tu sais qu'on entend parler de Nogent tous les jours à la radio et à la télé ?

— Je sais. C'est la folie, ici. Les gens sont devenus dingues, en deux mois. Chaque Nogentais est victime et tueur potentiel. On dirait que le temps s'est arrêté. Ils sont tous totalement abrutis par la peur. Tous armés. S'ils se mettent à tirer, ça sera dans tous les sens. Le carnage.

— Tu as l'air de dire que c'est étrange pour un accident ?

— Hum... plutôt, ouais. Bon, je retourne à l'hosto. Si tu veux me rejoindre dans la journée, tu connais le chemin.

9 novembre

Vers 6 heures, Grégory abandonna tout espoir de trouver le sommeil. Il se leva sans bruit. Élise dormait sur le côté droit, bouche close, silencieusement, sa chevelure en éventail ouvert sur l'oreiller.

Il se traîna d'une clope à l'autre pendant deux heures sans pouvoir croquer autre chose qu'un quignon de pain. À 9 heures et cinq bols de café, Élise en écrasait toujours. Il entrouvrit la porte de la chambre. Le jour entrait par la fenêtre. Un jour sans joie, gris, moche. Un de ces jours d'hiver qui n'en finissent pas de se succéder, identiques et sans autre promesse qu'un crachin glacé. Il regarda Élise par l'entrebâillement. Il n'avait pu lui faire l'amour, cette nuit.

Qu'était-elle venue chercher dans cette ville ? Pourquoi avait-elle quitté Grenoble, ses amis, sa famille, pour s'installer à Nogent-les-Chartreux ? Une question à laquelle elle répondait de façon évasive : « Comme ça. Pour disparaître. Pour ne pas être enchaînée à un lieu, des gens, des habitudes. Pour les rencontres, le renouvellement des rêves, l'utopie. Pour ne rien faire pendant un moment. Prendre le temps de vivre. Regarder, marcher, s'emplir d'inconnu. Laisser aller les désirs. N'avoir aucun but. »

À ses yeux, nos désirs étaient bien plus fous qu'on ne pouvait l'imaginer, enfouis profondément mais vivants, refrénés par les conventions de la société, fragiles et démesurés. Ils appartiennent à notre monde idéal. Élise rêvait de les libérer, de créer ce monde nouveau, pour lutter contre le système misérable où elle se sentait enfermée. Grégory laissa traîner son regard sur ses murs. Toutes ces photos et ces affiches punaisées. Des peintures, des sculptures, des images de films. Et les livres. « Ces œuvres sont les traces des désirs qui te structurent, te construisent, t'empêchent de sombrer, avait expliqué Élise. Ces traces sont ton passé, ton présent, ton avenir. Elles sont aussi la preuve de ton désir. Les êtres qui ne désirent pas, ou plus, ont abdiqué face à la société, et tout ce qui va avec : le boulot, la famille, la solitude. Pour que le système fonctionne, il faut que ça se détraque, que ça claudique. Depuis toujours. C'est pour ça que je bouge. Pour ne pas m'enterrer dans un territoire, pour être insaisissable. Incontrôlable. La propagande des pouvoirs assure son travail de sape, bien sûr, organise la peur du changement, les menaces d'effondrement, de la maladie ; la peur, ancrée dans une pensée qui légitime l'état actuel du monde… Mais n'oublie pas ce que disait Artaud : "Ce sont les médecins qui créent les maladies !" Alors je suis venue là par hasard. Presque en pointant mon doigt sur la carte. Les yeux fermés. Et je t'ai rencontré. Et je repartirai encore, peut-être. Sûrement. J'ai envie d'Islande, de Burkina, d'Argentine, d'Espagne. Et toi, tu vois bien, tu as envie d'étoiles. »

Pas si évasif que ça, finalement.

Maintenant, Grégory avait plus envie d'elle que des étoiles. Les étoiles si loin, inaccessibles. Un rêve qui ne dépassait pas le stade de la contemplation. Tandis que, en désirant Élise, un nouveau paysage s'ouvrait devant lui. Elle, cette fille, tout ce qu'elle représentait, tout ce qui s'agençait entre eux. L'échange des langages, l'aventure du sexe, la communauté d'intérêts, le partage d'idées, du quotidien, du palpable, l'amour. Tous ces frissons, si loin de la rugueuse réalité de Nogent.

Mais les machines ne nous accordent que quelques sursis, et la sonnerie du téléphone retentit dans l'appartement.

— Oui ?

— *Grégory Garand ?*

— Oui ?

— *Capitaine Berthomme, gendarmerie de Nogent. Pourriez-vous venir à la brigade, s'il vous plaît ?*

— Quand ça ?

— *Le plus tôt serait le mieux...*

— Qu'est-ce qui se passe ? C'est pour mon père ?

— *Ça a un rapport avec l'accident, mais il serait préférable que vous veniez.*

— J'arrive tout de suite.

— *Très bien, monsieur Garand, je vous attends.*

Monsieur Garand... Monsieur... C'est moi, maintenant ? Monsieur Garand ? La liste, mon vieux, la liste...

Grégory se pencha vers Élise. Elle ouvrit à moitié les yeux.

— Je vais à la gendarmerie, je reviens. Dors. Je t'appelle.

*

Le capitaine Berthomme, assis à son bureau, était entouré de ses collègues Davier et Prunier, et du directeur des Renseignements généraux, Guy Radieux. Des têtes d'enterrement. Berthomme proposa à Grégory de s'asseoir et fit claquer les élastiques d'une chemise cartonnée.

— Voici ce qu'on a reçu ce matin.

Le capitaine tenait une enveloppe décachetée entre le pouce et l'index. Il en sortit une feuille où Grégory put lire : « *Garand SUGET 5* ».

Silence pesant.

— Je voulais vous montrer cette signature avant de l'envoyer au labo. Évidemment, j'ai tout de suite ordonné la protection rapprochée de votre père. Je pensais également mettre quelqu'un à votre domicile.

— À mon domicile ? demanda le fils, groggy.

— Devant votre immeuble, si vous préférez.

— Attendez, fit Grégory en se prenant la tête à deux mains. Vous êtes en train de me dire que mon père a été victime d'une tentative d'assassinat ?

— Je suis désolé...

— Qu'est-ce que vous comptez faire ?

— Protéger votre père. Rechercher des indices, des témoins, quadriller la ville jour et nuit...

— Il y a combien d'hommes à l'hôpital ?

— Un homme armé, c'est la procédure...

— C'est tout ? interrogea Grégory en se redressant.

— Il n'y a aucune raison de vous inquiéter, monsieur Garand, votre père est en sécurité.

C'est ça, tu connais ton métier ! Mais moi aussi j'le connais, ça fait vingt-cinq ans que j'le connais, ton putain d'métier ! Grégory sentit qu'il valait mieux se calmer.

— Et les pistes ?

— L'enveloppe a été postée hier, de Villedieu-sur-Avre. Pour l'instant, il n'y a aucun témoin, mais nous continuons les recherches dans le secteur. Les analyses du véhicule du commandant Garand montrent des traces de choc très nettes sur toute la partie gauche, indépendamment des dégâts causés par la chute elle-même. Ce qui signifie que la voiture de votre père a été percutée et projetée dans le vide. D'après l'observation des traces de peinture, il s'agirait d'un véhicule gris. Plutôt de grande taille. Peut-être un 4x4.

— Une idée de la marque ?

— Non. Impossible. Et on ne peut pas convoquer tous les propriétaires d'une voiture grise de la région.

— Bon. Je dois aller à l'hôpital, conclut Grégory en se levant de son siège.

— Je vous tiens au courant.

— Je ne bougerai pas de Nogent, sauf pour aller voir mon père. Vous avez mon numéro de téléphone. Mais je ne veux personne en bas de chez moi.

— Monsieur Garand, nous sommes dans l'obligation de veiller à votre sécurité, réagit Guy Radieux.

— Je ne veux personne à ma porte, c'est clair ? C'est le meilleur moyen d'attirer rats, corbeaux et autres nuisibles ! Y a des patrouilles nuit et jour, c'est largement suffisant.

— Soyez raisonnable, monsieur Garand...

— Je n'ai jamais été aussi raisonnable.

Et Grégory quitta la brigade pour le CHU. Il passa un coup de fil à Élise pour lui dire qu'il ne repasserait pas. Elle se fit réchauffer une tasse de café, écouta distraitement la radio et rentra chez elle, de l'autre côté de la rue.

La nouvelle du jour avait fait le tour des rédactions en un temps record.

*

Il fallait que Paul l'entende. Nadine en était persuadée. Qu'il entende sa voix. Cela pouvait avoir d'inestimables conséquences. Elle croyait aux bienfaits des vibrations de ses cordes vocales, au pouvoir de ses harmoniques. Sinon, pourquoi Paul aurait-il aimé l'entendre tous les jours depuis dix ans ?

Elle négocia auprès de l'infirmière une très courte visite à son chevet, pénétra dans la salle de réanimation, s'assit sur le plexiglas d'une chaise aux montants métalliques. Le visage de son ex-mari, à moitié caché par le masque à oxygène, lui tira des larmes. On avait recollé son arcade et recousu une large entaille au niveau du cuir chevelu, derrière la tempe droite. L'électrocardiogramme égrenait ses bips. La machine à oxygène respirait pour lui. Le goutte-à-goutte le nourrissait.

— Paul, dit Nadine. Paul.

Silence. Garand ne bougeait pas. Mais il entendait. C'était certain. Il n'était pas sourd. Il entendait cette voix familière.

— Je sais que tu m'entends.

De nouveau le silence. Nadine ne pouvait en dire davantage. Elle parlait pourtant, dans ce silence – *ne pars pas maintenant Paul je ne suis pas prête tu sais bien que je ne suis pas prête, je voudrais tant t'avoir encore au bout du fil et qu'on se parle tous les jours, je n'ai jamais osé te le dire je me le suis tellement dit, il fallait préserver quelque chose je ne sais pas le silence entre nous, tout se disait autrement à travers cette habitude si douce et réconfortante, tu vois Paul je te le dis aujourd'hui et j'ai peur, j'ai peur que ce ne soit trop tard Paul mais je sais que tu m'entends oui tu m'entends te dire que c'était ça notre nouvel amour cette attente de chaque jour ce plaisir de sursauter à la sonnerie du téléphone, ce nouvel amour que nous avons su inventer puisque le premier avait péniblement échoué, ce nouvel amour qui nous a si bien épousés en nous épargnant les soucis de l'ancien, une victoire une épure le meilleur de nous-mêmes précieusement conservé, nous avons fait ce que peu de couples réussissent tu ne crois pas Paul ? moi je crois que nous sommes l'un pour l'autre une présence indispensable les deux uniques pièces d'un puzzle si simple si clair Paul, je t'en prie, tu es mon affection Paul tu es mon présent, qu'est-ce que je vais faire tout l'hiver dans mon grand appartement avec des morceaux de toi dans les oreilles, aurai-je la force encore de marcher dans les jardins de Paris ?* – voilà ce que pensait Nadine en reniflant ses larmes, alors qu'elle aurait tant voulu lui dire qu'ils avaient trouvé le rythme parfait, qu'être en équilibre ainsi donnait de la hauteur à la vie – *jamais on ne s'est disputé au téléphone tu te souviens ? pendant des jours on se disait la même chose toujours un peu pareil un peu raté peut-être mais c'était bien, ce que nous avions de mieux à faire nous contenter de cette habitude, un peu comme des adolescents déjà vieux une drôle de victoire en tout cas sur cette mode du neuf obligatoire, nous nous aimions dans la répétition c'était cela le plaisir vrai, être en dehors être à côté surtout ne pas être moderne, sans toi je serais peut-être devenue une huître tu sais ce nouvel amour me maintenait en bonne santé et tu me disais tu es toujours de bonne humeur eh bien oui toujours de bonne humeur, forcément j'avais ce qui m'enveloppait ce qui me disait tiens un jour de plus est passé et que va-t-il me dire demain et j'irai au musée demain et je leur enverrai une carte à tous les deux, je ne me suis jamais ennuyée une seule seconde avec toi Paul, jamais, alors je t'en prie ne pars pas maintenant s'il te plaît je sais que tu m'entends, j'ai toujours pensé à toi Paul, tous les jours après notre séparation, très vite je me suis dit c'est ça, nous avons trouvé, je marchais des journées entières sur les quais en pensant t'appeler et je me retenais jusqu'à ce que tu craques et le lendemain pareil sur les quais et c'était mon tour de craquer en regrettant de ne pas être à ton bras, oui Paul à ton bras, qu'est-ce que je vais faire Paul si tu t'en vas ? dis-moi réponds je veux te dire Paul je veux te dire...*

Mais Nadine pleurait trop, au bord du lit, et se sentait si ridicule de ne pas pouvoir prononcer un mot, d'être là avec sa peur devant son Paul défiguré. Alors, au bout des longues minutes que lui avait octroyées l'infirmière, elle dit simplement :

— Je t'aime, Paul.

*

La cité du Bas était sous haute surveillance. La moitié de l'effectif policier chargé de la sécurisation de la commune avait été mobilisée sur le secteur. Les voitures tricolores roulaient au pas dans les allées et s'arrêtaient, selon le bon vouloir du capitaine ou du lieutenant, pour des contrôles de routine. Ce qui avait déjà donné lieu à quelques frictions, verbales, entre les forces de l'ordre et de jeunes habitants « *désœuvrés, mais non exonérés des devoirs de tout citoyen et du respect dû aux lois de la République* », avait précisé Jean-Claude Pacis, l'adjoint à la tranquillité, sur la télévision régionale. « *Les autorités font leur travail qui consiste, je vous le rappelle, à protéger les biens et les personnes. Elles sont actuellement à la recherche d'un individu aperçu le 8 novembre dernier, en début de soirée, sur les lieux de l'agression criminelle dont a été victime le commandant Garand. Étant donné la gravité d'une situation que subissent de plein fouet les Nogentais, il est de notre devoir de ne négliger aucune piste. C'est pour cela que j'ai ordonné, après concertation avec le commandant de police Carali et le préfet, une nouvelle répartition des forces de sécurité.* » Car, selon Marc Delive, le fameux boulanger de la rue du 14-Juillet qui s'était précipité à la gendarmerie pour raconter ce qu'il avait vu, il fallait rechercher un « bougnoule d'une vingtaine d'années armé d'un scooter jaune et blanc », et « qui dit bougnoule, dit délinquant, c'est génétique », avait ajouté le commerçant lors de sa déposition. Alors, depuis, on cherchait.

Vers 11 heures, Chérif Hami, un jeune Français d'origine tunisienne, sortit du bâtiment C pour rejoindre deux individus plutôt jeunes et plutôt français. Il s'enferma avec eux dans une Ford Fiesta rouge appartenant à Vincent Rodriguez, au volant, qui n'avait rien de tunisien mais tout du suspect, ne serait-ce que parce qu'il fréquentait lui-même des délinquants. Chérif, Moussa et Vince (avec l'accent new-yorkais) grillaient de concert leur premier bédo de la journée, quand cinq policiers du GIR, rusés comme des renards, surgirent d'un bosquet et encerclèrent le véhicule. Ils ordonnèrent aux délinquants de s'extraire gentiment de l'habitacle.

— C'est qui, ces cow-boys ? souffla Vince avant de descendre.

— Vous avez vos papiers, les gars ? demanda l'un des policiers, un brin démago.

— Ben non, j'descends pas avec mes papiers en bas d'l'immeuble, répondit Chérif.

— C'est toi, Chérif Hami ? interrogea le plus gradé.

— Pourquoi ? Qu'est-ce que j'ai fait ?

— T'as bien un scooter jaune et blanc ?

— Et alors, c'est pas interdit !

— Ho, tu causes autrement, là ! T'es pas chez toi, ici, OK ? Si t'as envie de faire la révolution, tu retournes au bled ! En plus, t'es fiché, alors tu la boucles et tu réponds aux questions !

— Vas-y, j'ai rien fait, là ! se rebiffa Chérif avant d'être plaqué contre la tôle, les mains dans le dos.

Moussa, dix-sept ans, un mètre cinquante les pieds nus, avait déjà l'habitude de ce genre de fouille de proximité. Plutôt détendu et mou comme un poulpe sur le marché de Brive-la-Gaillarde, il matait Chérif par-dessus le capot en rigolant.

— Hé, m'sieur le policier, c'est lui l'tueur, la vie d'ma mère, c'est lui ! gloussa Moussa en pointant Chérif du nez.

— Ta gueule ! fit le fonctionnaire.

— Heu, non, attends, c'est lui, rectifia Moussa en désignant Vince. Hein, c'est toi, Vince, le tueur ! Vas-y, dis-le qu'c'est toi, Vince !

— Tu vas la fermer, ta gueule ? D'abord, vide tes poches !

— Hé, m'sieur, j'te jure, c'est lui l'tueur, c'est Vince ! Il aime bien tuer des gens, il leur nique leur race, woualla ! Hé, j'ai rien, là ! Pourquoi il met ses mains dans mes poches, lui !

Moussa reçut une baffe sur l'arrière du crâne.

Chérif, à plat ventre sur le capot, supportait mal les mains du gradé qui lui maintenait les bras tordus dans le dos. Il lança son pied par-derrière d'une pertinente flexion du genou, son talon fila droit entre les jambes écartées du flic et stoppa sa course pile poil dans les couilles de la cible. Ces dernières firent un aller simple vers l'estomac du fonctionnaire qui lâcha tout, dessina un O muet de ses lèvres et décrivit un arc de cercle élégant, d'avant en arrière, de la tête et du tronc, avant de tomber à la renverse en cherchant ses valseuses à tâtons et en retenant ses cris – un gradé, ça sait se tenir, quand même. Surprise générale. Chérif profita de la situation pour se carapater vers son bâtiment, mais l'un des cognes encore vif dégaina son Taser X26 et mit fin, presque à bout portant, à l'échappée du délinquant. Une première aiguille se ficha dans l'épaule du jeune homme, l'autre dans sa nuque. Cri strident. Désarticulation corporelle instantanée. Chute, spasme. Et le corps inanimé de Chérif, étendu au beau milieu de l'allée des Tilleuls.

L'aiguille plantée dans sa nuque s'était glissée entre deux vertèbres et avait balancé sa décharge de cinquante mille volts dans la moelle épinière. Paralysie totale et, surtout, définitive.

D'où émeutes.

Le destin en rajoutait une couche sur le visage déjà fort meurtri de la petite ville de province. Le destin, ou une mauvaise gestion de la crise, selon des avis divergents. Dans tous les cas, et d'après les messages impartiaux d'une municipalité qui se prenait les pieds dans le tapis rouge de son hôtel de ville, les émeutiers se méprenaient sur les intentions pacificatrices et nimbées de pédagogie des policiers en patrouille.

La télévision française allait se délecter trois jours durant : renfort de deux escadrons de gendarmerie, magasins pillés, voitures brûlées, arrestations, blessés… On en oublierait presque qu'un tueur rôdait toujours à Nogent et que Paul Garand végétait entre la vie et la mort.

*

À 14 heures, Henry Bourges fit son entrée dans le service de réanimation, flanqué de son adjoint, Florian Bartigiano. Poignée de main empathique avec Nadine et Grégory, petite tape paternaliste sur l'épaule du fiston, inclination légère du buste vers la mère, mille excuses et tout le bien qu'on pense du serviteur de la Nation.

Grégory répondit à peine. Nadine bafouilla une banalité. Bourges et Bartigiano redescendirent dans le hall de l'établissement, où les attendait la flopée des journalistes pour la photo. Fin de la visite réglementaire.

— Tu veux un café ? Ou quelque chose ?

— Ouais.

— On va à la cafétéria ?

— Ouais.

Nadine régla la note et vint s'asseoir à côté de son fils.

— Le médecin dit qu'il y a une amélioration, commença-t-elle en tournant sa cuillère dans son gobelet.

— Il paraît, oui.

— C'est plutôt rassurant, non ? S'il a besoin de moins d'oxygène, c'est que ça va mieux, non ?

— Oui, ça va mieux, bon. Qu'est-ce que tu veux que je réponde ?

— Écoute, Grégory, ça fait deux jours que tu m'envoies balader chaque fois que je t'adresse la parole, ça suffit maintenant ! Tu crois que je vais supporter ça longtemps ?

— T'étais pas obligée de venir. T'aurais pu rester à Paris, puisque la capitale te plaît tant.

— Paul est dans le coma, c'est normal que je sois là, non ? Je ne vais pas me justifier jusqu'à la fin de mes jours ! Oui, j'ai quitté cette région, j'ai quitté cette ville et j'ai quitté ton père ! Il y a des millions de couples qui se séparent tous les jours sans pour autant le payer toute leur vie, merde ! Et ça fait dix ans ! Je n'ai jamais aimé cette ville et il était hors de question que je passe mon existence enfermée dans un logement de fonction au-dessus de la brigade de Nogent ! À faire la bouffe devant ma télé après avoir épuisé toutes les promenades possibles, visité le musée de la marionnette et lu tous les livres de la misérable bibliothèque ! Je m'excuse, mais ton père et moi, on n'avait pas tout à fait les mêmes envies. Il le savait. Moi, cette vie-là, la bouse toute l'année et quinze jours de vacances l'été dans une location pourrie en Normandie, ça ne m'intéressait pas, désolée. J'ai aimé ton père, je l'ai toujours aimé et je l'aime encore, beaucoup, on se téléphone tous les jours, mais… Non ! J'ai respecté ses choix. Moi aussi, j'ai eu des choix à faire. C'était mieux comme ça, beaucoup mieux. Je me serais foutue en l'air, moi, dans ce pauvre bled où tout le monde se connaît, où tu ne peux pas faire un pas sans devoir donner des nouvelles de la p'tite famille, où tout le monde est au courant de tout ! Ah, l'image d'Épinal du si joli village où les habitants s'aiment bien, tu parles ! Au moindre problème, les gens se dénoncent entre eux ! Alors, oui, je suis partie ! Ben voilà, je suis partie. Mais je n'ai pas disparu de la circulation non plus ! On s'est vus les week-ends et les vacances, j'ai toujours... Oh, et puis merde, tiens.

Grégory, surpris par la verve de Nadine, resta silencieux un instant.

— Tu t'es barrée, j'avais à peine quinze ans. Je crois que c'était pas la bonne période. J'avais pas l'âge de comprendre.

— Et aujourd'hui, à vingt-cinq, tu comprends ? Que c'était une question de vie ou de mort ? Du moins de santé ? Qu'est-ce que tu vas faire, toi ? Rester à Nogent toute ta vie ? Faire la navette entre un boulot de merde et Pôle emploi ? Finir tes jours tout seul dans ton petit deux-pièces à regarder les étoiles ?

— Je ne suis plus tout seul.

— Et alors, tu n'es plus tout seul ! Vous allez vous installer ensemble ici, dans cette ville ? Et vous marier à la mairie de Nogent ?

— Bon, écoute, chacun ses oignons, OK ? fit Grégory en se levant d'un coup.

Il quitta la cafétéria, franchit le seuil de l'hôpital, tenta d'appeler Élise, qui ne décrocha pas, et rentra chez lui.

14 novembre

Malgré la fin des émeutes, trois jours et trois nuits d'une guérilla urbaine où la solidarité, la bricole et la ruse des jeunes de la cité du Bas – ces « vandalistes anarchisants », selon Henry Bourges – avaient poussé la police et l'armée dans leurs derniers retranchements, les tensions restaient palpables, et le risque de reprise des hostilités, plus que réel.

Les éboueurs s'étaient remis tristement au travail. Par souci des habitants enfouis sous les déchets, plus que par sympathie envers les patrons : ils n'avaient rien obtenu, ni augmentation ni changement de planning. Tueur ou pas, ils n'excluaient pas une prochaine relance du mouvement. Les commerces des zones touchées par les violences urbaines rouvraient doucement et, en centre-ville, on faisait le bilan. Tous s'accordaient pour constater qu'un cap avait été franchi dans la déconfiture sociale.

La crise, élaborée par ceux qui ne la subissent jamais, battait son plein. Ses effets et ceux de la peur conjugués : les caisses de la municipalité étaient vides ; un wagon de licenciements était annoncé à l'imprimerie Bodoni ; Dulcis, l'entreprise de poulets chlorés, fermerait définitivement ses portes début janvier, comme prévu, pour inaugurer ses nouveaux locaux à Belo Horizonte (capitale du Minas Gerais au Brésil) ; les bénéfices de la grande distribution continuaient de crever les plafonds tandis que ceux des détaillants s'effondraient, et les conseillers de Pôle emploi s'ennuyaient ferme à leur guichet déserté.

À l'heure de l'apéritif de la mi-journée chez Denis Bouchon, en revanche, c'était l'effervescence. On s'agglutinait au bar pour souffler un peu et quitter un moment la claustration qu'on s'était infligée. De rares voix s'élevaient au-dessus de la mêlée pour affirmer qu'il était peut-être temps de se rassembler, de s'entraider. Mais la philosophie brute de zinc a ceci de particulier qu'elle doit s'énoncer vite, éviter les circonlocutions analytiques, endosser le plus simple des appareils linguistiques et exprimer en peu de mots ce qui nécessiterait des développements par trop fastidieux. Aussi les monologues des plus bavards et des plus prompts à s'imposer par le volume de leur organe vocal se concluaient-ils immuablement par cette pensée définitive : « Enfin, c'est chacun son opinion. »

L'oreille aux aguets, Florian Bartigiano glissait de-ci, de-là, une pertinence enrobée d'une fine couche de vulgarité et faisait mouche à tous les coups. Hervé Coquerot et Michel Régot, main dans la main, réitéraient leurs sempiternels principes marketing : continuer à accueillir la clientèle et ne pas céder à la psychose – « Facile à dire ! » répliquait Bouchon en servant un énième pastaga –, car un magasin ouvert, c'est du lien social en plus. Puis l'affaire Caperet, la tentative de casse à l'armurerie, revenait sur le tapis : « C'est vraiment dommage, disait Régot, que notre collègue ait cédé à la tentation de l'illégalité. C'était idiot.

Comment pouvait-il penser qu'il passerait au travers des mailles du filet ? Et puis, quel modèle ! Comme s'il n'y avait pas assez de drames en ce moment. Nous devrions donner l'exemple de la solidarité, peut-être se regrouper, se déplacer accompagné, proposer aux personnes âgées de faire les courses avec elles… » Bartigiano rétorquait que les gens avaient perdu l'habitude d'être ensemble, que l'individualisme était la règle et qu'on ne pouvait rien contre, c'était sûrement dans la nature humaine – nature qui tombait à point nommé pour le petit candidat qu'il était. Teddy Carali et Jean-Claude Pacis, en bons éveilleurs de consciences, en profitaient pour lancer des pavés bleu-blanc-rouge dans la mare anisée : « Faut bien vivre avec son temps. Tant qu'on pourra pas suivre à la trace chaque citoyen, y aura des malades en liberté. Pourtant, techniquement, c'est possible. Enfin, chacun ses responsabilités. »

À la brigade, on était sur les rotules, sur les dents, sur les nerfs, mais toujours sur aucune piste. La paraplégie de Chérif Hami avait été confirmée et la bavure avait effectué un tour de France des associations de défense des droits de l'homme. Mais les autorités n'étaient pas prêtes à remuer ciel et terre pour un Français d'origine douteuse. La brigade de Nogent-les-Chartreux était dans le collimateur du ministère de l'Intérieur pour des motifs plus élevés : manque d'efficacité et de cohésion ; rébellion suspecte d'éléments non maîtrisés par la hiérarchie ; rétention d'informations ; réticence à collaborer avec la police nationale.

Le capitaine Berthomme, qui remplissait ses fonctions avec un sérieux dont nul ne pouvait douter et dont l'adoubement par Paul Garand lui-même resterait à jamais gravé dans son système limbique, ordonna le doublement de l'effectif de protection rapprochée de son commandant. Deux hommes, donc, armés d'une matraque télescopique et d'un pistolet automatique MAS G1 9 mm (fidèle réplique du Beretta 92F), se postèrent de part et d'autre de la porte derrière laquelle le perfusé comatait toujours.

Un calme relatif aussi doux qu'un soleil providentiel étant revenu, le capitaine décida aussi qu'il était temps de reprendre l'affaire SUGET à zéro et à cent pour cent.

— Tant qu'on n'aura pas mis le grappin sur ce dingue, ça sera le bordel ! Alors, on va faire un point tout de suite. Petit un : le tueur possède plusieurs véhicules, dont un 4x4 probablement gris, si c'est bien avec ce 4x4 qu'il a percuté le commandant Garand. La liste des propriétaires d'un tout-terrain ou d'une voiture grise dans le canton est interminable. Je vous laisse imaginer le boulot que ça représente de convoquer des milliers de personnes. Petit deux : le tueur agit uniquement le week-end, il prolonge parfois jusqu'au lundi. Ça signifie plusieurs choses : soit il n'a pas le temps de tuer en semaine pour des raisons professionnelles ; soit c'est un rituel ; soit les victimes sont plus accessibles à ce moment-là. Petit trois : il tue tous les quinze jours environ. Nous devons donc redoubler de vigilance autour du 21 novembre. Quant à ses signatures, petit quatre, on n'a toujours pas compris leur signification profonde. Elles sont à la fois explicites, concrètes et très mystérieuses. Vous avez noté l'orthographe. Est-ce intentionnel ? Petit cinq : selon nos déductions, il kidnappe ses victimes ou les attire à lui, les emmène en dehors de la ville, les tue, puis revient déposer les corps sur des lieux symboliques à ses yeux. Le *modus operandi* est en rapport avec les activités de ces dernières : un pêcheur étranglé avec du fil de nylon, un syndicaliste devant la porte du local syndical, un sculpteur vraisemblablement cramé au chalumeau…

— Et Martine Champrier, découpée en rondelles, elle était charcutière ? ironisa Guy Radieux.

— Grégoire Massa n'était pas plongeur en eaux troubles non plus, répondit Berthomme en s'étonnant lui-même de sa repartie. Soit notre homme prend un malin plaisir à brouiller les pistes, soit il limite les risques.

— Et Garand ? enchaîna Teddy Carali.

— Un obstacle ? Qu'est-ce que vous en pensez ? fit Berthomme, dubitatif.

— Garand, un obstacle ? ricana le flic.

— Je vous en prie. Le moment est mal choisi. Je vous invite à relire les rapports, nous tâcherons de définir de nouveaux axes de recherche demain.

— On nage dans la choucroute ! provoqua Carali une fois de plus. C'est Garand qui doit être content !

*

Grégory et sa mère quittèrent l'hôpital de Chartres vers 18 heures. En parvenant à l'entrée nord de Nogent, le fils présenta permis de conduire et carte grise au flic en faction, lequel, en le reconnaissant, se tartina la face d'une hypocrite empathie. Grégory déposa Nadine à la brigade et rejoignit son appartement.

D'après le docteur Marquet, son père était engagé dans un processus d'amélioration qui lui permettrait, si tout allait bien, de quitter le service de réanimation dans les prochains jours. L'apport en oxygène avait été réduit à vingt pour cent et son cœur fonctionnait normalement.

Grégory croqua sans conviction dans une pomme molle, en observant la carte de Nogent punaisée au mur du salon. Il avait tracé une croix noire sur chaque scène de crime, et le mot SUGET en plein milieu. Et rien. La ligne qui reliait les croix ne dessinait rien. Rien qu'une sorte d'étoile bancale, mais… non… pas assez nette. Le G de « groupe » semblait de plus en plus improbable. Pas une empreinte. Pas un indice. Une myriade de pistes aléatoires : un routard déglingué, un élu semeur de panique, un commerçant dingue de violence, un gars de la cité, un vieux pervers, un jeune malade, un échappé de l'asile, un bourgeois assoiffé d'aventure, un vagabond, un SDF, un chef d'entreprise. Tout était possible.

Grégory sentait la colère monter. Un mètre quatre-vingt-quinze de tension. Ça n'allait pas. Il lui fallait des informations. Vite. Parce que ce n'était pas terminé. Le tueur allait encore frapper. Il frapperait jusqu'à la mort. *Viva la muerte !* C'était peut-être ça, au fond, le fascisme à l'état pur : nettoyer, tuer les autres et finir par soi.

Son portable se mit à chanter *Want you please, please, help me !* Il lut « Élise » sur l'écran.

— Oui ?

— *Greg, c'est moi.*

— Hum…

— *Ça va pas ?*

— Bof.

— *Et ton père ?*

— Un léger mieux.

— *On mange ensemble, ce soir ?*

— Non. Faut que je réfléchisse.

— *À quoi ?*

— Tout.

— *Tu veux pas qu'on réfléchisse ensemble ?*

— Excuse-moi, mais je préfère rester seul. M'en veux pas.

— *Je t'en veux pas.*

— Bon.

— *Chacun sa vie, quoi…*

— C'est ça.

Élise raccrocha. Elle n'était pas du genre à s'immiscer ni à s'encombrer des angoisses des autres. Elle en avait assez toute seule, même si elle faisait mine de s'en foutre. Son compte en banque était vide. Ça commençait à sentir l'agio fourbe et la fin des vacances.

En feuilletant *Nogent-Dépêche*, la feuille de chou municipale, elle trébucha sur une offre d'emploi plutôt attirante : « *La ville de Nogent recrute graphiste-paoiste-saisie confirmé (info. interne, doc. adm., presse municipale), temps partiel…* » Elle décida aussitôt de se présenter le lendemain.

15 novembre

— L'amélioration se confirme, pour ton père ? demanda Élise en jetant un regard mécanique dans le viseur de la lunette astronomique.

Grégory posa deux verres sur la table basse, un litre de bière blonde et un bol de pistaches grillées.

— Rien de mieux aujourd'hui. J'ai pu entrer dans sa chambre, m'approcher de lui, lui parler. Nothing. Que dalle. Aucune réaction, répondit-il, les larmes aux yeux, sans préciser qu'il avait déposé sur le chevet de son père une enveloppe contenant la feuille de papier noircie, quelques semaines plus tôt, des petits mots d'affection qu'il lui avait adressés après l'incendie du cassoulet de Castelnaudary.

Il n'avait rien pu lui écrire de nouveau. Pas osé. Pas eu la force. Il avait juste ajouté, à la fin de la missive : « *Réveille-toi !* » Son élocution hachée était paradoxalement pâteuse. Les pics d'angoisse lui asséchaient la bouche. Il secouait la tête de droite à gauche et faisait craquer ses doigts. Il aurait échangé tout ce qu'il avait contre le moindre indice.

— Il faut que tu sois patient, fit Élise en s'asseyant dans le fauteuil en face de lui.

— Il faut… il faut que je sache, surtout. Je supporte pas de pas savoir. Je suis le fils du flic, bordel ! Tu comprends ça ?

— Oui, t'énerve pas…

— On s'est assez payé ma tronche avec ça ! Fils du flic, du *gros* flic. Celui qui ne se fait pas trop chier à mener les enquêtes, qui court après les voleurs une fois qu'ils sont loin… La honte. Maintenant, le gros, il est dans le coma et les gens font comme si ça devait logiquement lui tomber dessus ! Ça pue la vengeance minable d'empaffés qui ne peuvent jouir que par guillotine interposée. Si je pouvais trouver quelque chose, j'aurais l'air moins con. Et lui aussi, peut-être.

— T'es en train de te laisser piéger par l'opinion publique. Laisse tomber…

— NON ! Je laisse pas tomber ! Il a fait son boulot, mon père. Il n'a tué personne ! Il a passé le plus clair de son temps à constater des accidents de bagnole. C'était pas un gros con de flicard. Ni une brute, ni un justicier. En fin de carrière et fatigué, il ne méritait pas ça. C'est mon père, putain ! Il est en train de crever !

Élise profita du silence pour boire une gorgée de bière. Grégory s'essuya les yeux d'un revers de manche.

— Il avait tout le temps mal partout. Au dos, aux genoux, à l'estomac. Il se détruisait à manger n'importe quoi, à dégouliner de solitude dans son appart' de fonction. Et son cœur enrobé dans sa graisse qui s'emballait pour un rien. C'est cette ville qui l'a bouffé. Les rumeurs, la mesquinerie, la connerie. Il n'a jamais emmerdé personne avec de la paperasse. Jamais sorti son flingue ! Toujours à arranger les p'tites histoires des pauv' gens, à trouver des solutions.

— Il ne pouvait pas plaire à ceux qui préfèrent la poigne. Tu peux être fier, non ?

— Fier, je m'en fous, mais j'veux pas être orphelin. C'est pas le moment. On s'est toujours engueulés, d'accord, mais il était là. Je pouvais compter sur lui. Il était pas du genre à envoyer la facture.

Ils burent ensemble une gorgée de blonde.

— Et toi ? reprit Grégory.

— Finalement, je suis allée deux heures à la piscine, c't'aprèm.

— Ça va. Cool. Pas trop fatigant ?

— Greg, c'est pas parce que ton père est à l'hosto que je dois me morfondre toute seule chez moi.

— Ouais, of course, chacun ses soucis.

— Ça m'a pas empêchée d'aller à un rencard ce matin pour un boulot. Et, en rentrant, mon proprio a sonné pour me proposer un poste de vendeuse, alors ça va ! affirma Élise en tirant sur sa cigarette, le visage tourné vers le ciel.

— Vendeuse ? Et donc ?

— Dans le magasin de jouets, en face. Un congé maternité. Mais j'ai dit non. Pas envie d'être vendeuse. J'vais pas faire n'importe quoi sous prétexte qu'il faut payer un loyer.

— OK. T'as dit non. Ne te justifie pas, dit Grégory en tentant de calmer le jeu.

— Si tu veux passer la soirée sans moi, je peux rentrer, aussi.

— Et ce matin ? Le rencard ?

— C'était un mi-temps de remplacement à la mairie. Un peu de mise en page pour *Nogent-Dépêche* et de la saisie. Pas d'horaires. Tu vois le genre ? Disponible à la demande et des cacahuètes en fin de mois. Je gagne plus à rien foutre.

— C'est toujours ça, non ? Des vacations dans une mairie, ça peut déboucher sur autre chose de plus…

— Ouais, mais moi ça m'intéresse pas ! coupa Élise.

— OK, ça t'intéresse pas ! Le boulot, ça court les rues en ce moment, t'as remarqué ? Et toi, tu dis non. Super. Génial. Il te reste le RSA, c'est palpitant.

— Écoute, Greg, c'est pas parce qu'on a tiré trois coups que ça te donne le droit de juger mon comportement, d'accord ? Si t'en es encore à la valeur travail et au sacrifice, tant pis pour toi. J'en ai rien à foutre de tes principes à la noix. On est pas mariés, hein…, lâcha d'un trait Élise en allant fumer à la fenêtre.

— C'est ça, oui. Toi, t'es libre ! Tu voles de tes propres ailes ! Tu ne dois rien à personne ! Glander à la piscine, c'est trop top ! On frappe chez toi pour te filer du taf, mais non, c'est trop ceci, trop cela !

— Tu parles comme un vieux con ! Ta vie, elle te va, à toi ? Ton p'tit nid douillet, ta p'tite lunette électronique, tes étoiles et la cuisine de ton père !

— Qu'est-ce qu'il en a à foutre, mon père, des pétasses comme toi ! gueula Grégory en se redressant et en constatant, à la seconde, qu'il avait dépassé les bornes, franchi les limites et peut-être même le Rubicon.

— Hé, ça va pas, non ? Prends un calmant, mon pote ! rétorqua Élise en se dirigeant vers la sortie.

— C'est ça, bouge ! Tu fais c'que tu veux, toi ! T'as pas d'attaches, hein ?

— Ouais ! Je suis mobile. C'est la mode. Toute façon, je vais me tirer de c'bled pourri. Y a rien à foutre, ici. Qu'est-ce que tu crois ? Que j'vais gober tes leçons de morale à deux balles ? Que j'vais ranger ma vie ici, à Nogent-les-Chartreux, son église du XIIe siècle, son espace culturel et sa belle gendarmerie ? Plutôt hara-kiri que de mourir d'ennui !

— Évidemment, toi, t'es au-dessus de tout ça ! C'est trop petit, ici, trop mesquin, trop replié sur soi. Il te faut de l'aventure, du voyage à sensation, du rêve. C'est ni la grande ville ni la campagne profonde. C'est bâtard, quoi ! T'as besoin de pureté, toi !

— Ce refrain, j'le connais. Mon père l'entonnait déjà quand j'avais quinze ans. Il me voyait employée municipale dans la banlieue de Grenoble. Toute ma vie dans le bureau d'une mairie à gérer la location des salles pour l'amicale des anciens et le club de yoga. Merci bien ! Si tu crois que je vais m'investir aux Restos du Cœur nogentais pour constater que chaque année le nombre de repas augmente de trente pour cent, tu te fous le doigt dans l'œil jusqu'à l'omoplate ! Pourquoi pas le Secours catholique, aussi ? Pis j'entrerai dans une troupe de théâtre amateur pour aller jouer dans les maisons de retraite et les salles polyvalentes ! Eh ben merde ! Comptez pas sur moi pour développer la culture en milieu rural ! Rien à taper ! Vous pouvez tous crever les deux pieds dans la bouse ! Alors oui, je bouge ! Oui, je n'ai aucune attache ! Pour moi, la vie, c'est le mouvement. Mille directions possibles. Je suis pas sortie de mon trou des Alpes pour m'enterrer dans celui de la Beauce ! Chacun sa route, chacun sa ligne de fuite.

— La fuite, ouais…

— Ah, mais attention, pas n'importe laquelle ! Pas la fuite pour fuir. La fuite pour créer ! Quand je m'assois, c'est pour imaginer, mon vieux, pas pour m'encastrer. J'ai pas cette prétention. Je vais pas consommer du territoire sous prétexte que j'y habite. J'suis pas une cliente avec un caddie accroché à la ceinture. Je préfère être invisible. Et surtout pas de morale ! Je suis en transition. C'est ma dynamique. Être de passage. Sans papiers et merde à la maréchaussée ! *Into the wild*, tu vois c'que j'veux dire ? Je préfère l'expérience de Chris McCandless à n'importe quelle existence de salarié qu'a pris perpète au bureau. J'ai un chemin à parcourir, une ligne à suivre, un trajet à effectuer. Sans fin. La mort s'occupe de l'objectif ultime, alors pas la peine d'en rajouter avec un but à atteindre ! Je trace ma ligne, j'en croise d'autres, je bifurque, je prends, je donne, mais je m'arrête jamais ! Trois mois à Nogent, c'est bon, j'ai vu. Chacun son Alaska. Non, mais tu sens pas l'atmosphère ? T'as envie de finir comme ton père ? À la pêche tous les dimanches ? Eh ben, sans moi ! Bonne pêche et bonne atmosphère !

Les enceintes diffusaient en sourdine *Free as a Bird* (Lennon, 1977). Élise claqua la porte, Grégory ne tenta pas de la retenir. Elle traversa la rue Molière. Les flocons lourds d'une neige à moitié fondue s'écrasaient au sol et se mêlaient à la crasse des caniveaux. Élise appuya sur l'interrupteur du salon. Grégory, collé au carreau, la vit s'approcher de la fenêtre et, sans un regard, tirer le double-rideau. Fin de l'acte. Entracte.

Il se planta devant la carte de Nogent. Les croix qu'il y avait tracées n'indiquaient rien d'autre que l'emplacement des cadavres. Ça n'avançait à rien.

Bon, il avait merdé, mais Élise n'était pas sa priorité pour l'instant. Ses parents se rejoignaient à Nogent pour la bonne cause : celle d'un gros plein de soupe entre la vie et la mort. Les scènes de préménage attendraient le jour où il n'y aurait plus que ça à se mettre sous la dent. Et voilà qu'Élise appuyait sur des zones de sensibilité mises à nu. Or, des points de douleur, Grégory en avait assez. Conclusion : basta ! Le vieux d'abord.

Après avoir tourné en rond jusqu'à 23 heures, relu des articles sur l'affaire SUGET et fumé clope sur clope, le nez dans le rideau d'en face, il descendit les quatre étages, enfourcha son vélo et traça vers la gendarmerie. Il croisa une patrouille de trois flics sur l'avenue de la République. Plus d'une semaine s'était écoulée sans un meurtre, on levait le pied du côté des autorités.

Un semblant de calme régnait de nouveau sur la ville. Les néons grignotaient l'obscurité au-dessus d'agences immobilières à deux doigts du dépôt de bilan, les alarmes étaient branchées sur « sensibilité maximum ». Jérôme Foisil avait fait remplacer sa vitrine en quarante-huit heures (triple vitrage blindé et caméras infrarouges) et dormait du sommeil du juste, le Smith & Wesson sous l'oreiller. De nombreux téléviseurs étaient encore allumés, éclairant les intérieurs proprets du centre-ville et les salons kitsch de la périphérie. À la maison de retraite comme à l'hôpital psychiatrique, les anxiolytiques produisaient leurs effets sans trop d'efforts. Le repos vigilant succédait à la panique.

— Qu'est-ce que tu viens faire à cette heure ?

— J'attends une heure ou deux, si ça t'ennuie pas. Ensuite, je vais voir dans le bureau de mon père.

— Comment ? Pourquoi ?

— Comment : par la porte qui donne directement dans le couloir de la gendarmerie après le petit escalier privé. Pourquoi : pour trouver quelque chose.

Sans s'opposer à son fils, qui n'avait l'intention ni de négocier ni de se justifier, Nadine prépara un café qu'elle servit dans des verres en pyrex. Ils n'échangèrent que des banalités. Elle avait compris qu'il lui faudrait beaucoup de temps et de diplomatie pour le réapprivoiser.

À minuit, n'y tenant plus, Grégory descendit sans bruit les trente-neuf marches de l'escalier de service et entrouvrit la porte du couloir. La caserne était plongée dans l'obscurité, sauf le bureau des capitaines, où la lumière était censée maintenir en éveil les fonctionnaires de garde. Il fallait la jouer fine. Grégory retint la porte derrière lui, parcourut dans l'ombre les deux mètres qui le séparaient du bureau de son père, appuya sur la poignée et se glissa dans la pièce. Un lampadaire du jardin éclairait vaguement le plan de travail paternel, où se côtoyaient deux téléphones, une lampe articulée, un bloc de Post-it tricolore, un agenda en similicuir, un calepin, un calendrier recouvert d'une chemise cartonnée vert pomme et deux cadres. Grégory reconnut un portrait de sa mère et une photographie de lui à l'entrée de son immeuble, le jour de son emménagement. L'ordinateur végétait sous la poussière.

Visiblement, on s'était autorisé à jouer le technicien de surface dans le repaire du commandant. Plus un papier, armoire fermée, frigo en décongélation et odeur de javel Pin des Landes. *Trop vite enterré, le père Garand !* pensa Grégory, précautionneux comme un grand chat à l'affût.

Le capitaine Berthomme entrait tous les jours dans cette pièce, s'asseyait dans le fauteuil du commandant, utilisait ses téléphones, mais branchait son propre ordinateur portable. Il ouvrait le dossier SUGET, photocopiait des documents, scannait des photographies, gérait les recherches en partenariat avec Carali.

Grégory tira sur les élastiques du dossier. Rapports journaliers, analyses du labo, plans, images et feuilles volantes portant l'écriture de son père. Tordue, saccadée, maladroite. Des listes de mots :

Angelo : Solidarité, Usine, Grève, Emplois, Travailleurs
S.U.G.E.T. : merci, fiston !
Bartavel (pêche), Giacomet (sculpture), Massa et Champrier (rien)
Jeux de mots ? Jeux de lettres ? Pourquoi ?
Dire le mobile ou l'assass. lui-même ?
Enveloppes = lettres
SUGET… G = J = JE ou JEU ou JOUEUR

Puis une photocopie de la dernière signature du tueur :

GARAND SUGET 5
TU OCCIRAS GARAND ET RÉCIDIVERAS

Un commandement divin ? se dit Grégory. *Ce mec est dingue !*

*

— Mon fils, le SUGET 6 est pour cette nuit. Nous devons passer à la vitesse supérieure. Augmenter la fréquence de nos missions.

— Papa, trouve que…

— Tu trouves quoi, mon fils ?

— Hm… manques le calme… hm… vrais hm… réfléchir pour suite…

— Tout est déjà parfaitement réfléchi, mon fils. Et la suite sera ce qu'elle doit être. Tu sais bien. Tu le sais, oui ou non ?

— Oui, ne sais, pap…

— Il n'y a aucune raison valable pour que les cibles poursuivent leur parcours démoniaque. Nous sommes la haute justice, mon fils.

*

Grégory recopia ce qu'il put sur un morceau de papier et sortit du bureau. Il regagna aisément l'escalier de service, puis l'appartement.

— Alors ? demanda Nadine, qui n'avait pu s'endormir.

— Il reste du café ?

— Regarde dans la cuisine, moi je suis crevée, dit-elle en se recroquevillant sur le canapé. Tu as trouvé ce que tu cherchais ?

— J'ai pris des notes.

— Et alors ? Personne ne t'a vu, au moins ?

— Non. Il y a des listes de mots, des déductions, des interrogations. Je dois faire le tri.

— Ah, çà, il faut toujours faire le tri dans ce que dit ton père. Si je m'étais laissé attendrir par ses supplications, ses aveux, ses promesses, je serais revenue depuis longtemps.

— Ça ne te paraissait pas sincère ?

— Si. Très. Mais irréaliste. Il n'a jamais cessé de regretter. Toujours à ressasser les mêmes rengaines. Mais j'avoue que j'aimais ça. Le coup de fil quotidien...

Grégory faisait les cent pas dans le salon, sa tasse de café entre le pouce et l'index.

— Ressasser..., prononça le fils pour lui-même.

*

— Après le SUGET 6, je m'occuperai de Garand. Avant qu'il sorte du coma. Tu peux compter sur moi, mon fils.

— Hm... liste est ongue, papa, crès ongue...

— C'est vrai. Mais une solide conscience vient à bout de toute besogne. J'ai ma petite idée pour le SUGET 7. Il n'y a pas que les responsables de ton état qui doivent payer, mais tous les responsables de la déliquescence de notre pays.

— Ma... c'est...

— Ambitieux ? Tout à fait, mon fils. Ne cherche pas la petite bête. Il n'y a rien d'extraordinaire à ce qu'un père consacre du temps à son enfant. N'est-ce pas ?

— Sais, papa, ma j'l'imtression...

— TAIS-TOI ! Ne renie pas tes droits ! N'entrave pas mes devoirs !

*

— Comment ?

— Rien. C'est quoi, ça ? fit Grégory en désignant le ceinturon noir accroché au portemanteau.

— Je sais pas, une ceinture ?

Grégory souleva la veste d'uniforme, saisit le pistolet automatique dans sa gaine et, sans hésiter, le glissa dans son pantalon.

— Qu'est-ce que tu fais, Greg ?

— Rien. Je rentre.

— Tu ne vas pas sortir avec cette arme ?

— Ça risque rien. Tout le monde est armé, maintenant. Il va passer à l'action. Je me protège.

— Risque rien ? Vous êtes tous fous, dans cette ville !

Grégory était déjà sur le palier.

— Qui ça, il ? questionna Nadine dans le vide.

*

Le double-rideau d'Élise était toujours tiré. Rancunière, l'aventurière.

Grégory s'arma du bloc de papier à petits carreaux, d'un stylo et d'une cigarette épaisse sur laquelle il se mit à tirer comme un condamné. Les genoux contre la table basse, courbé en avant, le nez dans les notes de son père, il relut. Il sentait quelque chose là-dedans. Persuadé que ces lettres renfermaient un mystère qui s'éclaircirait avec une bonne dose d'acharnement.

S.U.G.E.T. Lire et relire encore. SUGET. Dire et répéter ce mot. À voix haute, maintes et maintes fois. Ressasser ! Palindrome. Gauche-droite. Droite-gauche.

Il écrivit : T.E.G.U.S.

TÉGUS ? C'est quoi, ça ? SUGET à l'endroit, TÉGUS à l'envers... Se fout d'ma gueule ! Ça veut dire quoi ? Tégus, tégus... peut-être que ça existe ? Mon dico ! Où est mon putain de dico ? Il en trébucha contre un pied de la table. Puis il consulta avidement son *Petit Robert.*

O... S... T... TO... TE... TEL... TEF... Rien du tout ! Et dans l'encyclopédie ? Peut-être... Alors... Table des matières... Tiens ! Tégu, page 22. Les lacertidés... Le téju ou tégu (Tupinambis Teguixin) est un lézard de la famille des téjidés. Il se rencontre dans les régions forestières de l'Amérique tropicale. Les tégus sont recouverts de petites écailles carrées disposées comme les cases d'un damier. Leur coloration d'un noir bleuté est rehaussée de taches et de ponctuations claires du plus bel effet. Il tue des tégus !

Grégory écarquilla les yeux sur l'article de l'encyclopédie.

*

—Le SUGET 6 ne sera qu'une formalité. Et, cette fois, j'agirai sur place. Cela m'évitera de la manutention inutile. Ainsi, nous gagnerons du temps, mon fils. Qu'en penses-tu ?

—Hm...

—Tu as une exigence particulière ?

—Non, je... papa... ne sais pus...

—Comment, tu ne sais plus ? Ne vois-tu pas que j'ai besoin de ton soutien indéfectible, pour les siècles des siècles ?

—Si, pap... si... hm...

—Tu pleures, mon fils ? Attends, je vais sécher tes larmes. Là. Voilà. Tout ira bien, je te le promets. Nous irons au bout de notre projet ensemble. Tu verras.

— Ma ne c'est pas…

— Tais-toi ! Et renifle ta morve ! As-tu bien conscience des risques que je prends pour toi ? Des responsabilités que j'assume pour toi ? Ces missions sont des preuves d'amour, mon enfant. Peux-tu considérer cela ? Oui ou non !

— Hm…

— Mon action tend à libérer le monde de ses parasites. C'est cela, ta reconnaissance pour le travail déjà effectué et celui à venir ? Le doute ?

— Hm sais, pa…

— Tu ne sais rien ! Tu n'es qu'une larve comme les autres ! Involontaire, certes, mais larve ! Laarve !!

— …

— J'y vais. Je te rapporterai un échantillon du lézard.

*

Les actes du tueur qui semait la panique depuis bientôt trois mois étaient signés d'un nom de lézard ! Le lézard, ce petit reptile vif et craintif qui se niche dans les anfractuosités de nos vieux murs et dont la principale activité consiste à se dorer l'écaille au soleil, autrement dit à lézarder !

L'assassin semblait avoir une sacrée dent contre les paresseux de tout acabit. Le SUGET 0, Bartavel, ne foutait rien et aimait se prélasser au bord du canal en taquinant le gardon. Le lézard Giacomet, salarié à temps partiel, profitait de sa liberté pour s'adonner à la sculpture. Le tégu Angelo fomentait ses complots de syndicaliste afin d'éloigner les travailleurs de leur devoir de soumission. Et Grégoire avait érigé la fainéantise en style de vie, sur la foi du livre de Paul Lafargue, gendre de Karl Marx, *Le Droit à la paresse.* Grégory l'entendait encore seriner que le salariat était une aberration monstrueuse, un acte dégradant.

Le fils Garand ne pouvait y croire. Personne ne méritait la peine de mort pour cause de paresse ! On ne pouvait pas être « coupable » d'oisiveté ! Et son père, qu'avait-il à se reprocher ? Certes, il n'était pas acharné, mais c'était insensé ! Et cette phrase qui accompagnait la dernière signature ? « *Tu occiras Garand et récidiveras.* » Une sueur froide lui incisa l'échine. Il était le prochain sur la liste. Ça se confirmait.

Je suis un chômeur. Un de plus. Cadavre potentiel. Non ! Et si je me plantais ? Si tous ces jeux de lettres n'étaient qu'une malheureuse coïncidence ? Ou alors… j'appelle les flics maintenant et je dis que j'ai le mobile. Mais ça ne donne pas le nom du tueur. Ensuite, ils posent des questions… J'ai l'air con et… Non. Je suis en danger. C'est ça, en danger. Et récidiveras. Merde ! Ils vont deviner que j'ai fouillé… secret de l'instruction… ça peut se retourner contre moi… Le flingue ! Où est le flingue ? Bon. Mais pourquoi mon père ? Ça ne suffit pas d'être paresseux… Ou alors, une vengeance ? La vengeance d'un fou furieux qui fait payer tout le monde pour… un problème avec ceux qui sont morts… Daddy ! Il va tout faire pour tuer mon père ! Qu'il ne se réveille jamais, surtout : il risque de parler !

Grégory piétinait sur le parquet du salon, tournait autour de la table basse, cognait du poing sur le dossier du fauteuil. Il avait le mobile ! La paresse ! Mais qui était-ce ? Pourquoi haïr à ce point ceux qui ont décidé ou subissent le fait de vivre autrement ?

En jetant un coup d'œil par la fenêtre, il crut deviner des mouvements derrière le rideau du premier étage. Tempo brouillon, mais soutenu. Élise dansait ? Merde alors, manquait plus que ça !

16 novembre

Une heure et demie. Élise n'était quand même pas en train de danser ?! Grégory colla le front à la fenêtre. Les ombres vives se faufilaient derrière le rideau. Trop irrégulières et furtives. Une inquiétante tension régnait dans cet appartement où Élise, peut-être, n'était pas seule. Soudain jaloux, il ouvrit la fenêtre, et le froid d'hiver lui cingla le visage. Il la referma aussitôt, s'assit derrière sa lunette, zooma au maximum, mais ne perçut qu'un flou artistique.

Dans le répertoire de son téléphone, il sélectionna son numéro. Après cinq sonneries : messagerie d'accueil. Pourquoi ne répondait-elle pas ? Stupide dispute... Secoué par un improbable courant d'air, le rideau se souleva et, pendant un quart de seconde, dévoila l'intérieur éclairé de la pièce. Élise ne dansait pas, non, elle se débattait !

— Élise !

Un bras noir autour de son cou, son visage blanc de neige et d'effroi, son regard terrifié fusa vers Grégory, qui le reçut de plein fouet.

Le rideau réobtura l'ouverture.

— Élise ! Qu'est-ce que... ? Merde !

Plus rien. La lumière qui s'éteint. Silence par-dessus le silence.

Fébrile, Grégory vérifia le chargeur du Beretta Parabellum de son père et le glissa dans sa ceinture. En face, toujours rien. Son grand corps se mit à trembler comme un arbre sec secoué par une bourrasque de peur. De précieuses secondes s'écoulèrent. Les flics arriveraient trop tard. C'était ici, maintenant, vite. Mais la panique s'était emparée de lui.

Au rez-de-chaussée, les deux hublots de la porte du garage attenant au magasin de jouets s'éclairèrent.

Grégory dévale les quatre étages sans presque toucher le sol ; derrière lui, toute la rampe vibre de haut en bas. Avant de sortir sur le trottoir, pétri de trouille, il glisse la tête par l'entrebâillement : en face, les phares d'une voiture, derrière la porte du garage qui s'enroule sous son linteau. Le véhicule s'engage dans la rue Molière vers la place du Marché. Pour n'éveiller aucun soupçon, le conducteur conduit doucement jusqu'au feu rouge. Stop. Soixante secondes avant qu'il passe au vert.

55 – Grégory se précipite vers l'immeuble d'Élise et compose le code.

47 – Il dévore l'escalier jusqu'au premier étage et pousse la porte d'entrée restée entrouverte.

42 – Il appuie sur l'interrupteur, constate les dégâts et appelle Élise.

31 – Il bondit dans la cuisine, dans la chambre. Rien.

20 – Retour dans les escaliers, un bond jusqu'au palier intermédiaire, un second jusqu'au rez-de-chaussée. Grégory jaillit hors de l'immeuble.

15 – À cent cinquante mètres au bout de la rue, les feux arrière de la voiture et le clignotant droit.

12 – Grégory se propulse vers son immeuble, compose son code.

8 – Il attrape son vélo, se jette dans la rue.

3 – Le feu passe au vert. Grégory enfourche sa bicyclette.

2 – Le véhicule amorce son virage. Grégory remonte la pédale sous son pied gauche.

1 – Le véhicule disparaît.

0 – Grégory se met à pédaler comme aucun cycliste au monde n'a jamais pédalé avant l'invention des anabolisants.

La petite berline pétrole emprunte les rues les plus étroites, vers le canal. À distance, Grégory suit, indétectable. La voiture parvient au canal par la rue des Soucis, puis se dirige vers l'est. Au rond-point, au bout de la rue du 14-Juillet, elle s'engage dans la deuxième à droite, vers l'ancienne piscine. À l'instant où Grégory prend le rond-point, la voiture freine sur le chemin de halage. Le jeune homme jette son vélo sur le bas-côté, à deux cents mètres de l'entrée. La berline noire est sur le parking.

La peur au ventre, il pique un sprint décousu jusqu'au portail ouvert et dégondé. Il se plaque au mur, à bout de souffle. Il jette un œil vers les bâtiments ruinés. L'homme, qu'il a l'impression de connaître, extrait quelque chose du coffre arrière. Un corps. Élise ! Grégory sent son cœur se disloquer, tremble de partout. Prévenir les secours, les flics ? Non, ça laisserait trop de temps à l'autre. Et si elle était…

Grégory chope le Beretta, vérifie encore le chargeur. Il tente de reprendre son souffle, incapable de bouger son grand corps adossé au crépi. Une intense nausée lui creuse le ventre. La poitrine bombée, il gerbe droit dans l'herbe du chemin, se met à gémir, ouvre la bouche à s'en décrocher les mâchoires, pousse un cri inaudible et reste là, pétrifié, trop longtemps pétrifié. Puis il se gifle et se gifle encore. *Merde ! Meeerde !* Se décoller du mur. Se tourner face à l'entrée. Faire un pas, puis un autre.

L'homme a disparu avec Élise depuis plusieurs minutes. *Élise ! Putain, Él...* Grégory accélère le pas. *Qui c'est, cet enc... Daddy, bordel, aide-moi !* Il essaie de courir. Danse courbe, trébuchante et grotesque. Il s'arrête à quelques mètres de la voiture. À gauche, le parking, des arbres, une pelouse en pente, une rambarde métallique, accès interdit aux bassins vides. En face, escalier gris ouvrant sur le hall. Sous l'escalier, un local à poubelles. À droite, suite et fin du parking, un hangar où moisit un kayak jaune. Des transats mités.

Un bruit ! Un choc vers le hangar. Comme une bouteille roulant sur le gravier. *Merde...* Grégory n'en peut plus de trouille. Il a la chiasse. De précieuses secondes, le temps qu'il s'approche de la source du bruit. Des chats. *Merde...* Il ne tient plus. Ça lui tenaille le ventre. Il contourne le hangar, baisse son froc, se soulage à l'aveuglette et se relève, essoufflé et tremblant.

Un instant plus tard, il frôle une rangée de sapins jusqu'à l'entrée de la piscine, gravit les marches et perçoit d'autres bruits. Plus humains. Voix grave et menaçante.

— Personne que moi et toi.

Il fait un pas dans le hall en évitant les gravats. D'où venait cette voix ? Les sons résonnent, ricochent sur la brique et l'acier. Quelqu'un s'approche, ça crisse sous des pieds. Grégory redescend, se cache sous l'escalier derrière un container. L'ombre se dirige vers la voiture.

Un autre bruit, très faible. Un souffle d'effort, de douleur peut-être. Élise ! Mais le coffre se referme. Impossible d'aller voir là-haut. L'ombre disparaît de nouveau dans les locaux ruinés. Grégory, à deux doigts de la syncope, tout grelottant de peur, pénètre dans le hall.

— Regarde ce que j'ai écrit pour toi.

Il contourne la caisse par la gauche, s'engouffre dans un couloir obscur jusqu'à l'entrée des vestiaires. On n'y voit rien, dans ce champ de mines, mais les souvenirs des étés passés là, avec les copains, lui reviennent si clairement qu'il navigue comme en plein jour, le 9 mm comprimé dans ses poings. Il doit intervenir. Comment ? Avec la sueur, la peur, le flingue. Dos, aisselles, visage trempés. Corde à nœuds dans le ventre. Sans bruit, il s'approche. Semelles de plume sur éclats de gravats. Écho techno-trans des marteaux à ses tempes. Passe un quart de visage dans l'encadrement d'une porte. L'homme, de dos, à genoux sur les cuisses d'Élise. *Merde, Daddy, help ! Je sais que tu ne veux pas que je traîne dans ces coins-là, mais qu'est-ce que je fais, maintenant ? What ? Pain ou pruneau ? C'est quoi, ça ? Ah, yes, yes…*

Une lumière de lait caillé enduit la scène du crime. L'aiguille acide, à deux secondes de la veine, percera l'épiderme et la mince couche sous-cutanée. Combien de microlitres se déverseront-ils dans le muscle, avant que la pointe biseautée ne traverse la paroi de la carotide ? L'acide se mêlera au sang. Douleur intense, compacte. Un grignotage incandescent, interne, sans issue. Les vagues destructrices submergeront le cerveau un instant après l'injection. Tous les fusibles sauteront. Noir total. Les canalisations céderont.

Joints, connexions, intersections, neurotransmetteurs et capillaires ne résisteront pas à la pression, à l'assaut liquide, se crèveront au passage de la marée souillée. L'acide inondera l'ensemble de la machine humaine, qui sombrera, corps et biens.

C'est alors qu'une détonation fait vibrer les dernières vitres de la piscine municipale. Et qu'un cri retentit.

Grégory vient de tirer dans le plafond.

— ARRÊTEZ ! hurle-t-il.

Michel Régot se redresse d'un bond. En lui, l'homme courtois et respecté a été sauvé d'un cauchemar interminable. Sur le visage de l'épurateur, le masque blafard de la perdition se ride, se rétracte, se mortifie. Il reconnaît le fils Garand. À sa gauche, Élise ouvre les yeux sans émettre un son. Il écarte largement les bras, la seringue pleine d'acide chlorhydrique dans son poing droit. Sa position réplique étrangement celle de sa victime. Christique.

Michel Régot est un homme élégant, fin, le cheveu grisonnant de la cinquantaine. Père dévoué d'un garçon gâté, il fut un époux galant. Ses bottines crottées, son pantalon de survêtement noir, sa veste de Gore-Tex sont les habits d'un autre. Il s'agit donc de faire bonne figure. De cacher ses tensions intérieures, sa panique, son trac imbécile au moment du passage à l'acte. Détente et professionnalisme. Assurance, politesse, modestie dans la certitude.

— Grégory Garand, quel heureux hasard ! Quand ce n'est pas le père, c'est le fils ! Ça tient de famille, on dirait.

Il avance d'un pas.

— Bougez pas ! Poussez-vous à droite !

— Je bouge, ou je ne bouge pas ? *De l'utilité d'accorder ses violons* pourrait être le titre de notre débat, mon garçon.

— À droite, ou j'vous descends !

— Très bien. Et maintenant ?

— …

— Ah, oui. Je comprends. C'est difficile. Moi-même, j'ai cru, en me débarrassant de votre père, être guéri de ces tremblements. Mais on ne vient jamais à bout de la peur de la mort, même quand on l'inflige, n'est-ce pas ? Stupide sûrement, mais humain. Je doute pourtant que vous parveniez à une telle extrémité, jeune homme. Quand je vois vos yeux ! Bien, nous allons donc pouvoir achever le travail avec votre amie, et ensuite ce sera votre tour, qu'en pensez-vous ? Vous qui avez bien inconsciemment hâté l'heure de votre décès…

— La ferme !

Allons, allons. Un peu de tenue. N'entachez pas l'exceptionnelle originalité de notre entrevue par de vulgaires petits cris de goret. S'il vous plaît. Vous connaissez le tir à l'arc, Grégory ?

— …

— Bien. Cette discipline olympique, à la fois sportive et spirituelle, nécessite une concentration totale, imperturbable. La tension de la corde reflète en négatif la détente psychique et corporelle du tireur. Au moindre relâchement à l'instant de la visée, au moindre écart musculaire, à la moindre perturbation mentale, la flèche dévie, s'échappe absurdement vers nulle part et retombe n'importe où.

— Dégagez, sur la droite !

— À haut niveau, la pratique de ce sport exige un entraînement quotidien, un régime alimentaire des plus stricts, une hygiène de vie irréprochable. En somme, une discipline de fer. De longues années de dévouement, d'abnégation, de sacrifice, tel est le prix à payer. Mais rien n'est trop cher, quand on vise la plus prestigieuse compétition de la planète, n'est-ce pas ? Non, rien n'est trop cher payé.

— La ferme !

— Il y a bientôt deux ans, mon fils Mathieu, classé parmi les meilleurs espoirs français, a été sélectionné pour les Jeux. Un des plus beaux jours de sa vie, avant celui de la médaille, bien sûr. L'agression sauvage dont il a été victime le lendemain l'a cloué définitivement dans un fauteuil électrique.

Contenant sa rage, le marchand de jouets grince des dents.

— Il végète en fauteuil roulant, Garand ! La faute à Garand votre père, ou soi-disant, n'est-ce pas ? Ce jean-foutre qui a laissé fuir les coupables ! Vermine autant qu'eux ! Des années de travail ruinées par la paresse d'un seul. Un seul, mon Dieu ! Mais il n'est plus de ce monde, mon garçon, pose donc ton arme, il est trop tard maintenant. Et puis, tu n'as pas assez d'expérience pour viser juste.

— Mon père n'est pas mort ! rétorque Grégory en hachant ses mots.

— Oh, que si, mon garçon ! Allons, ne te poste pas en travers du chemin que je débroussaille !

— Mon père n'est pas mort ! répète Grégory, les mâchoires serrées sur sa haine.

— Il n'y a qu'une justice, qui punit l'oisif et récompense le courage. Les places sont chères, mon garçon. Inutile de te dire, donc, qu'il me semble déplacé de n'en laisser, ne serait-ce qu'une seule, aux amateurs de chiendent ! De la soupe aux cochons, oui ! De la confiture ! Alors, lâche ton arme, maintenant, crie soudain Régot, et laisse-moi soigner le mal à sa racine !

— Il n'est pas mort !

— Trop tard, Garand. Le programme est lancé et je suis seul capable de l'arrêter.

— Ta gueule ! Mon père est vivant !

— Désolé. Il nous a quittés hier soir. Débrancher les machines n'était pas très compliqué. Va vérifier, si tu veux. Maintenant, je vais poursuivre mon travail, ajoute Régot.

— Bouge pas !

Il est à quatre mètres devant.

— C'est ridicule, mon garçon. Rien que du temps perdu.

— Bouge pas !

Trois mètres de l'arme.

— Rien ne peut stopper le cours des…

Le percuteur frappe sur le poinçon central à l'arrière de la douille. La poudre s'enflamme. La balle de calibre 9 est propulsée hors de son logement. Les stries en spirale du canon produisent sur elle un effet rotatif qui augmente sa vitesse et facilite sa pénétration dans l'air. La balle incandescente surgit de l'extrémité de l'arme et poursuit sa course, rectiligne. Le bruit de l'explosion se répercute sur les murs délabrés de la piscine municipale. Le projectile parcourt les trois mètres qui le séparent de sa cible en quatre millionièmes de seconde. L'arrondi de la balle atteint le tissu de la veste de Michel Régot au niveau de l'épaule gauche, à la jonction de la clavicule et de l'omoplate. Elle déchire le Gore-Tex. La peau. Sectionne tendons et ligaments. Pulvérise l'articulation. Tranche, dissèque, hache, éclate, envoie des éclisses d'os dans les chairs. Défonce le sommet de l'omoplate. Perfore la peau du dos. Gonfle le tissu gris, qui cède et s'épanouit de tous côtés en pétales rouges déchiquetés. La balle entraîne avec elle deux cents grammes de compote sanglante et termine sa course dans l'œil d'une nageuse française, photographiée bouche ouverte, dans la position figée du papillon. Michel Régot s'effondre.

Grégory Garand ne sait plus.

Dix secondes s'écoulent. Il vient de tirer sur un homme. Avec l'arme dont Garand ne s'est jamais servi. Il regarde Michel Régot se tordre de douleur à ses pieds.

La seringue a roulé dans l'ombre. Élise ne bouge plus. Une vieille mouche perdue en plein hiver crève dans un seau.

Puis tout s'enchaîne. Grégory tire sur le bâillon. Élise le supplie de décoller le scotch lentement, mais il faut faire vite. Il désentortille les fils de fer autour de ses poignets, l'aide à se relever. Appuyée sur les épaules de son compagnon, elle peine à marcher. Ils sortent ensemble des vestiaires, trébuchent sur des déchets dans le couloir. Élise gémit. Ses blessures se réveillent. Ils descendent l'escalier, traversent le parking. Élise ne peut pas courir.

— Grimpe sur mon dos, vite, grimpe !

Élise pleure d'affolement et de douleur. Grégory court à petites enjambées, franchit le canal et s'engouffre rue des Écuries.

Ils disparaissent dans la nuit.

Michel Régot hurle dans son sang.

16 novembre

5 h 17

Cinquante gendarmes des brigades territoriales et départementales encerclent la ferme de Michel Régot. Le commandant de police Carali fait la navette d'un binôme à un autre pour transmettre les ordres du commandant Mortier, chef du Groupe d'intervention de la gendarmerie nationale (GIGN). Les ordres sont simples : maintenir sa position ; contact permanent avec la hiérarchie ; aucune initiative sans l'aval du commandant ; alerter au moindre mouvement suspect du forcené ; se replier en cas d'attaque.

Sous ses deux centimètres de gilet pare-balles, le commandant Mortier, visage cubique et grave de l'homme d'expérience, finalise les préparatifs avec les hommes de la cellule de négociation. Chacun des quinze agents, armé d'un Manurhin MR-73 en calibre 357 Magnum, d'un fusil d'assaut Heckler & Koch équipé d'un laser jour/nuit ou d'une carabine Anschutz en calibre 222 Remington, cagoulé de noir et caparaçonné de la tête aux pieds, connaît sa mission.

En civil, le négociateur Jacques Lacanerie prend des notes en cachant une légère fébrilité dans son calepin.

5h32

Le groupe sort du PC de crise situé dans une grange voisine. Par cinq, les hommes prêts au combat se répartissent à l'intérieur de la cour en trottinant les uns derrière les autres, chaque agent tenant l'épaule du précédent. Protégés par les lourds boucliers des hommes de tête, les soldats se dissimulent à l'entrée des granges, sous l'auvent de la vaste étable et derrière le puits de pierres blanches. Trois côtés du grand carré de la cour sont investis en quelques secondes par les silhouettes noires en pointillé.

De part et d'autre du portail d'entrée, des soldats à genoux derrière le muret d'enceinte pointent leur fusil à lunette vers l'habitation, en face.

Le commandant Mortier ordonne au négociateur une première tentative de prise de contact.

— Monsieur Régot ? Michel Régot ? Je suis Jacques Lacanerie. Je suis venu spécialement pour discuter avec vous afin que les choses se terminent bien. Pour vous et votre fils, monsieur Régot. Pouvez-vous me faire un signe comme quoi vous m'avez bien entendu, monsieur Régot ?

5h36

— Ça va s'arranger, mon fils. Ne t'inquiète pas. Après avoir vu un médecin pour mon épaule, nous ferons une petite pause. Hein ? Quelques jours de vacances.

Mathieu Régot, le crâne retenu par une épaisse minerve où repose son menton, pleure sans discontinuer. Ses yeux globuleux se dirigent vers la droite, vers son père assis sur une chaise du salon, face à la fenêtre, qui pointe sa carabine de chasse calibre 7 x 64 vers les ennemis de l'extérieur.

— Papa… hm crois…

— Oui ?

— Pap… se plaît… hm vaut se rende…

Michel Régot observe son fils, les yeux injectés de folie haineuse. Son épaule en charpie le fait atrocement souffrir. Tout le haut du corps irradié par la douleur, il grimace à chaque inspiration lorsque ses côtes poussent sa clavicule dévastée. Sa nuque raide, un pieu métallique fiché dans la partie postérieure de son crâne. Intolérable sensation d'être empalé. Au moindre mouvement, les éclats acérés de son omoplate découpent ses chairs à vif. L'hémorragie continue.

Courbé sur sa chaise, la crosse de sa CZ Minnesota contre l'épaule droite et l'index sur la détente, Michel Régot tient en joue les ombres furtives des hommes du GIGN.

5 h 54

Pendant de longues minutes, le négociateur tente en vain d'obtenir une réponse du forcené.

La lunette à infrarouge d'un tireur d'élite ne fournit pas d'informations précises sur ce qui se passe à l'intérieur. Un rideau blanc masque l'ouverture. Seule l'extrémité du canon de l'arme apparaît sous ce rideau. Rien ne bouge.

La nuit noire est le dernier havre de Michel Régot. Nuit noire comme un caveau.

6 h 16

— Alors ? demande le sous-préfet.

— Toujours rien, répond Mortier en montant à bord de la voiture de fonction. Aucun signe de nervosité, mais ce calme n'est pas rassurant. La cible ne répond pas. On ne sait pas ce qui se trame dans sa tête. Je suis inquiet pour le fils.

— Que peut-il se passer ?

— Tout. Les médecins sont là. Pour l'instant, nous suivons leurs recommandations, mais il se peut qu'un assaut soit nécessaire. Tout dépend de ce qui va se passer dans les heures qui viennent.

— Les heures ? intervient Carali, peu habitué à ce type de situation.

— Ça peut durer des heures, en effet. Vos hommes sont partis chercher le collègue de Régot ?

— Oui, il devrait être là dans quelques minutes.

— Bien. Nous allons tenter un contact en proximité avec le négociateur.

6 h 27

Le commandant Mortier a rejoint Jacques Lacanerie à l'entrée de la ferme, à trente-cinq mètres de l'habitation.

— Ça ne donne pas grand-chose pour l'instant, constate le négociateur, accroupi derrière le muret.

— J'ai vu bien pire, le rassure le major Scrafic. Pour le moment, c'est tranquille. Mais si ça vrille, on est OK pour l'assaut, t'inquiète pas.

— C'est ma première sortie, alors j'aimerais arriver à quelque chose.

— De la clarté et de la concision. C'est tout ce qu'il nous faut. Précision et rapidité.

— Major, on tente une approche, intervient Mortier. Le sous-préfet n'est pas très chaud pour un assaut. Un peu mollasse à mon goût, le bonhomme. Bon. Avec Étienne et Nino, vous couvrez Jacques jusqu'au puits et tu l'accompagnes. Jacques, tu fais un essai sur cette position. Si ça foire, vous revenez. Allez.

6h32

En planque derrière le puits et sécurisé par un mur de boucliers, Jacques Lacanerie tente un nouveau contact avec la cible.

— Monsieur Régot ? Vous m'entendez ? Michel ? Nous sommes là pour vous aider, Michel. Nous savons que vous êtes blessé et des médecins sont prêts à vous secourir. Nous serions vraiment tristes que les choses s'enveniment entre nous. Faites-nous au moins un signe, Michel.

Le négociateur grimace vers le major Scrafic.

— Il faut insister, encourage ce dernier, l'œil dans la lunette de son fusil d'assaut.

— Michel ? Si vous refusez le dialogue, il sera difficile de trouver avec vous une sortie honorable. Nous vous parlons uniquement dans votre intérêt. Tout le monde se fait du souci pour vous. Je sais que vous êtes un homme raisonnable et que nous pouvons décider ensemble d'une solution. Dites-moi au moins si vous avez besoin de quelque chose.

6h39

— Quand ta mère est partie après ton agression, je n'ai pas compris. J'ai essayé de la retenir, mais elle était dans un tel état d'angoisse, ne pensait plus qu'à elle…

— Se plaît, hm… papa…

— Je crois qu'elle n'a pas supporté la vision de son avenir dans cette maison avec un fils handicapé. C'est une sorte de lâcheté, tu n'es pas d'accord ?

— Papa, t'allé trop loin… o n'oit pas tuier les gens…

— On ne doit pas « tuier » les gens et gnagnagna ! Tu veux que je te dise ? Tu me déçois. Les chiens qui profitent de tout pendant des années, qui volent une place qui devrait te revenir, ne sont pas des gens ! Alors BOUCLE-LA !

6h42

— Commandant, la cible vient de crier quelque chose, chuchota Scrafic dans son micro HF.

— J'ai entendu. Reviens avec Jacques, ça ne donne rien.

Hervé Coquerot patiente en silence dans une voiture garée sur le bas-côté. Le commandant Mortier lui propose de l'accompagner jusqu'au portail.

— Vous connaissez bien Michel Régot ?

— Bien sûr, on est voisins.

— J'aimerais que vous lui parliez.

— Qu'est-ce que j'lui dis ?

— Que vous êtes son ami, que vous vous inquiétez, que vous le comprenez. Parlez-lui de votre relation et de l'avenir, répond Jacques Lacaneric.

Encadré par deux soldats, Hervé Coquerot passe la tête au-dessus du muret.

— Je l'appelle ?

— Oui, allez-y.

— Où il est ?

— Derrière la fenêtre, à gauche.

— Bon. Michel ? Michel ? crie Coquerot. Michel, c'est moi, Hervé ! Qu'est-ce que tu fais, Michel ? On s'inquiète, nous ! Pourquoi tu nous fais ça ?

— Ne le culpabilisez pas et parlez en votre nom, intervient le psychologue de service.

— Ah bon ? Bon. Michel, réponds-moi, c'est Hervé ! Allez, sois raisonnable. Sors de la maison et viens me voir. Tu risques rien. J'ai dit aux policiers qu'ils… que t'es un mec bien ! Michel, réponds-moi ! Il répond pas…

— Essayez encore.

— Pour les bons moments qu'on a passés ensemble, Michel. On va pas tout gâcher, quand même ! Ça serait triste, tu crois pas ? Allez, viens, on va boire un coup chez Denis.

Le lourd silence continue à grignoter les espoirs.

— Dites-lui que vous allez le chercher, suggère le commandant Mortier.

— Hé, ça va pas, non ? Il a un fusil, vous avez dit !

— Vous n'y allez pas, monsieur Coquerot, vous lui dites seulement.

— Ah, d'accord, d'accord. Michel ? J'arrive. Tu m'ouvres, qu'on boive un verre ?

Aussitôt, la réponse. Michel Régot brise un carreau de la fenêtre avec le canon de sa carabine. Au bruit des éclats de verre tintant sur les graviers de la cour, les dos se voûtent, les genoux fléchissent et les mains font cliqueter le métal des armes. Puis le canon disparaît.

7h15

—Renaud, tu vois quelque chose ?

—Un mouvement, commandant. Une sorte de recul, mais je n'en suis pas sûr. Le rideau gêne beaucoup la vision, répond le major sans quitter le viseur de la lunette.

—OK. Scrafic, va voir de plus près.

7h19

—Le pauvre Hervé est tombé bien bas. Enfin… Dans la salle de bains, tu ne risques rien, mon fils. Tu veux boire ? Tu as besoin de…

—Papa…

—Je t'ai déjà dit de ne pas t'inquiéter. Et ce nez qui n'arrête pas de couler, c'est insupportable. ALORS, CESSE DE CHIALER ! Tu me pourris la vie avec tes gémissements. Les plaintes, toujours les plaintes ! Qu'est-ce que je fais pour toi actuellement, hein, qu'est-ce que je fais ? Tu mériterais que je m'en aille, tiens. Maintenant. Que je te laisse avec ceux-là, dehors.

—Pa… pa… arrête… se plaît…

—Pourquoi j'ai un fils comme toi, dis ? Incapable de se défendre contre trois morveux ! Ce n'était pas tir à l'arc qu'il fallait choisir, c'était karaté !

—…

— Tu sais ce qu'on va faire ? J'ai tout prévu. Quand on agit dans la vérité, les épreuves de Dieu ne sont que des passages. On va aller dans la maison de papi, à Argenton. On se reposera un peu avant de reprendre le travail. Et puis il sera content de te voir.

7h21

La voix du commandant grince dans l'oreillette du major Berto.

— *Berto ?*

— Oui, mon commandant.

— *Avec Étienne et Nino, vous allez jusqu'à l'auvent. Là, vous faites un point avec Scrafic. Ensuite, vous foncez jusqu'à l'extrême gauche du bâtiment, au niveau des écuries, tu vois ?*

— Bien reçu.

— *Vous longez le mur vers la fenêtre. Vous êtes couverts. OK ? Pendant ce temps, Jacques essaie de lui parler encore. En cas de problème, on se replie. On n'a pas l'autorisation de donner l'assaut pour l'instant.*

7h22

— Je vais au grenier et je reviens, d'accord ?

—…

— Mon fils, allez, fais-moi confiance, je t'en prie. C'est rien, regarde, ils sont là, je les fais partir et on s'en va. Il y en a pour dix minutes. D'accord ?

—…

— Quel boulot on aura abattu tous les deux ! Pas vrai ?

7h24

Dix mètres entre l'auvent et les écuries. À découvert.

— Nino, tu restes en retrait, ordonne Mortier.

Le trinôme s'engage, armes pointées vers la fenêtre. La torche du major Étienne éclaire le rez-de-chaussée.

Personne n'a remarqué la pointe du canon dans le rectangle de la porte du chien-assis, à l'étage. Michel Régot vise le plus précisément possible malgré son bras gauche invalide, et presse la détente. La balle de 7 × 64 se loge dans le crâne du major Scrafic après lui avoir défoncé l'os pariétal. Il s'effondre.

Étienne et Nino se précipitent vers lui, à l'abri du bouclier, et rebroussent chemin en traînant le corps sans vie de Benjamin Scrafic.

7h30

— Tu vois, mon fils, c'est bientôt fini. Écoute-les se remuer dans tous les sens. Ils commencent à comprendre. Ils se croyaient protégés sous leur carapace ! Ha, ha ! La naïveté des humains me fait rire, parfois !

Mathieu regarde par la fenêtre de la salle de bains. Le jour se lève sur les champs immenses.

— T'crois hm vrament… que c'ini, papa ?

— Tu entends ? Ils s'en vont ! Ils ramassent leur cadavre et ils s'en vont !

— Cuisse, papa… la saigne…

— Hein ? Mais non, c'est rien ! Ils ont tiré une rafale sur la porte du grenier et une balle m'a frôlé. Tu parles, c'est rien, ça ! Une égratignure !

7h31

— Monsieur le sous-préfet, je vous demande officiellement l'autorisation de donner l'assaut.

— Commandant Mortier, je… comprends votre…

— Monsieur, un de mes hommes est mort.

— Alors… oui… allez-y.

— Merci, monsieur le sous-préfet.

7h45

Les hommes de la section d'assaut se rassemblent devant le portail de la propriété.

— Michel Régot ? Ici le commandant Mortier. Vous avez une minute pour sortir de chez vous, sans arme. Ne nous obligez pas à utiliser la force.

7h47

— Papa… te seuplie…

Pris de vertiges, Michel Régot s'est assis sur le rebord de la baignoire et regarde le profil de son fils. Mathieu pleure toujours. Les larmes creusent des sillons luisants sur ses joues avant de rejoindre les fils de bave qui lui coulent sur le menton.

Le père quitte son siège de fortune et se positionne derrière le fauteuil roulant. La silhouette de son fils se découpe sur le paysage de l'aube.

— Pense à ton avenir, mon fils. Toute ta vie sans un geste… Tu n'étais pas un paresseux, toi, je le sais.

Michel Régot pose le canon de son arme sur la minerve, au niveau de la nuque.

— Mais… la dépendance… Être libéré du poids de l'immobilité, c'est peut-être, dans ton cas, le bonheur éternel. Tu ne crois pas ?

— Papa…

— J'ai toujours cru aux bienfaits de la sélection naturelle, mon fils. Le monde est beau, mais la société est cruelle. L'un est l'œuvre de Dieu ; l'autre, celle des hommes. Tout cela manque profondément de perfection, mon amour…

La balle a percuté le plastique de la minerve, traversé une vertèbre cervicale et pulvérisé la pomme d'Adam.

7h50

La section d'assaut stoppe sa progression. Le commandant Mortier ordonne à ses hommes de foncer sur la porte. Il ne se fait pas d'illusions. Il attend le second coup de feu, les bras croisés.

7h51

Michel Régot fait face à son fils. Mathieu ne regarde plus nulle part. Il positionne la carabine sur les cuisses de son gamin, fait pénétrer le canon dans sa bouche et glisse son pouce sur la détente.

Seigneur, acceptez ma démission.

Fin novembre

Le dénouement tragique de l'affaire Régot avait laissé les Nogentais hébétés. Ils retrouvaient progressivement, sinon le cours d'une vie normale, du moins leurs habitudes. Les exilés revenaient peu à peu, sur la pointe des pieds. Chacun, à son niveau, se sentait meurtri. Les corps étaient endoloris, les sommeils perturbés, les pensées confuses, les certitudes en observation, et les confiances, convalescentes.

Les événements avaient eu de sérieuses répercussions sur le rythme des vies. Comme si, par une curieuse nécessité organique, tout devait ralentir. Les gestes, les mots, les relations. Dans les rues de Nogent, on marchait lentement, on conduisait lentement, on patientait, docile, dans les files d'attente. Sur le marché, au café, on parlait à mi-voix. En état de choc. On se retournait, le sourcil froncé, sur quiconque haussait le ton. On était soudain garant de l'harmonie de la cité, on réagissait par réflexe à la moindre agression. Même les patrouilles de la gendarmerie, résidus de l'état de siège, remplissaient leur fonction le plus discrètement possible.

Autour du magasin de jouets de la rue Molière, un périmètre invisible détournait le pas des promeneurs, zone taboue qu'on ne pouvait pénétrer sans un frisson glacial à l'échine. En centre-ville, les commerçants avaient relevé leur rideau de fer et préparaient le Noël avec un enthousiasme de circonstance. Henry Bourges, poussé à la démission, avoua dans un communiqué son impuissance et remit en question l'ensemble de son travail : il était « désolé », il n'avait « pas su saisir les aspirations de ses concitoyens », il s'était « fourvoyé dans des attitudes électoralistes »... Bref, l'adjoint à la tranquillité, Jean-Claude Pacis, assura de mauvaise grâce l'intérim.

On feignait la détente, mais, dans les esprits, l'agitation n'était pas encore retombée, ni la peur. Comme des électrons prisonniers d'une coque hermétique, les questions fusaient dans les têtes, s'entrechoquaient en silence.

Il fallut bien deux semaines pour que les langues se délient. Comment ? Pourquoi ? Des divergences de points de vue sur ce qui s'était passé émergèrent de la masse compacte des habitants terrorisés. Ces désaccords avaient au moins le mérite d'ouvrir des débats.

Nogent-les-Chartreux redevenait une ville moyenne, fondue dans le décor d'une France tranquille, avec ses quinzaines commerciales, ses programmations artistiques divertissantes, sa basilique du XIIe, son musée de la marionnette et bientôt son élection municipale anticipée, dont tout le monde se moquait, ou presque.

Printemps

Paul Garand se réveilla comme par miracle le lendemain de la mort de Michel Régot, après dix jours de coma. C'est à se demander s'il ne s'y était pas réfugié comme dans un abri silencieux et douillet, le temps que se dénoue le drame.

Deux mois d'hospitalisation plus tard, il réintégra son logement de fonction. Il s'y enferma pendant des jours, refusant tout appel, sauf ceux de son fils, qui prit l'habitude de faire la navette entre un père bancal et une fiancée toute cassée. Coupable pour certains, victime pour d'autres, le commandant attendit dans son canapé l'obtention de sa retraite anticipée, en se répétant pour lui-même et à l'endroit de l'humanité : « Qui sème le vent, récolte la tempête. Qui sème le vent, récolte la tempête… »

L'expérience de l'intense inquiétude au chevet de Paul, la peur de le perdre, le retour à Paris, firent naître de nombreux doutes dans l'esprit de Nadine. Son avenir de femme de médecin lui apparut soudain totalement insipide. Honnête avec elle-même, elle fit donc le choix de quitter le bon docteur Bernardin et d'emménager dans un appartement minuscule du XIVe arrondissement. Ses fenêtres donnaient sur la rue de la Gaîté. Elle y était bien, libre, seule. Elle téléphonait à Paul aussi souvent et longtemps qu'elle le voulait.

En ce début de printemps, enfin libéré de l'uniforme, Garand savourait les joies de l'oisiveté au bord de l'eau. Le bouchon rouge et bleu était immobile à la surface d'huile de l'étang. Le fil de nylon dessinait un grand S entre les araignées d'eau, suspendu, vertical, à l'extrémité du scion. Une libellule mauve se posa au milieu de la canne.

La main droite de l'ex-commandant, quatre-vingt-neuf kilos et des poussières, maintenait le tube de fibre de verre plaqué contre sa cuisse. À ses pieds, la bourriche encore vide, le seau de farine de maïs, la boîte d'asticots blancs et roses. Sur son pliant de toile écossaise, il attendait la touche. Le chien Pathé-Marconi sautillait dans l'herbe autour d'un lézard gris.

Tomorrow Never Knows chanta au fond de sa poche revolver. Sur l'écran de son portable s'inscrivit le message suivant : « *Daddy, depuis deux jours au Burkina. Chaleur torride. Village sud-ouest. Rivière Komoé. T'embrasse. Élise et Greg.* »

Paul sourit. Rassuré. Il téléphona à Nadine. Elle profita de son appel pour le convaincre d'une escapade jusqu'à la capitale.

Un après-midi d'avril, ils se retrouvèrent sur un quai de la gare Montparnasse et s'en allèrent bras dessus, bras dessous, prendre un goûter à *La Rotonde*, la brasserie mythique des peintres et des poètes des années vingt. Paul était heureux. Nadine lui souriait. L'un en face de l'autre, dans l'alcôve aux tentures rouges, ils profitaient de chaque seconde.

Paul trouvait tout charmant. Les signatures de Matisse et Picasso au plafond, le café liégeois, les viennoiseries, les sourires de la jeune serveuse... et Nadine, plus que tout.

Après le goûter, elle tint absolument à lui faire découvrir les jardins du musée Rodin. Ils firent halte sur un banc, au fond du parc, au calme des grands arbres. Ils dînèrent au bistrot *Je Thé...Me*, rue d'Alleray. Paul fut comblé : foie gras de canard maison sur lit d'oignons au jus de miel, noix de Saint-Jacques aux agrumes et valse de sorbets.

Ils trinquèrent au dixième anniversaire de leur divorce, convaincus qu'il avait permis l'éclosion de ce long et nouvel amour.

Nadine ne reviendrait jamais vivre à Nogent, Paul le savait. Mais il n'excluait pas qu'un jour, peut-être, Montparnasse devienne pour eux, comme l'écrivit Apollinaire, « l'asile de la belle et libre simplicité ».

À DÉCOUVRIR CHEZ MILADY THRILLER

DÉJÀ DISPONIBLE

CJ LYONS

UNE ENQUÊTE DE CAITLYN TIERNEY - TOME 1

CONFIANCE AVEUGLE

Sarah Durandt sait que l'assassin est mort. Elle l'a vu recevoir l'injection. Pourtant, elle n'est pas apaisée : il n'a pas révélé où se trouvaient les corps de son mari et de son fils, qu'il lui a arrachés deux ans plus tôt.
De retour chez elle, elle s'engage dans une contre-enquête désespérée. Mais la vérité qu'elle découvre la glace d'effroi.
Ils ont peut-être exécuté le mauvais coupable. Le véritable meurtrier est peut-être toujours en liberté, prêt à tuer de nouveau…

« Un rythme effréné, à vous couper le souffle. »
Publishers Weekly

CJ LYONS

UNE ENQUÊTE DE CAITLYN TIERNEY - TOME 2

LES OMBRES DU PASSÉ

Caitlyn Tierney est l'une des agents du FBI les plus endurcies. Pourtant, ses méthodes directes et peu orthodoxes ne lui ont pas permis d'élucider le mystère autour de la mort de son père. S'est-il vraiment suicidé après avoir arrêté son meilleur ami pour meurtre ?

Quand cet homme, depuis sa cellule, la supplie de retrouver sa fille, Caitlyn pense régler ses comptes une bonne fois pour toutes avec le passé. Mais sur les lieux de son enfance rôdent de pires ennemis que de vieux mensonges bien gardés, et une menace insaisissable resserre ses griffes autour d'elle…

« Bourré d'action, authentique et intense. »
Lee Child

DISPONIBLE EN DÉCEMBRE 2016

 /BragelonneMiladyThriller  @BrageThriller www.milady.fr

À DÉCOUVRIR CHEZ MILADY THRILLER

DÉJÀ DISPONIBLE

FABIO M. MITCHELLI
LA COMPASSION DU DIABLE

Deux flics, un tueur et des corps horriblement mutilés, abandonnés au fond d'une rivière ou dans le vide sanitaire d'une maison. Démembrés, amputés, humiliés.
Une traque à bout de souffle, mêlant présent et passé, sur les traces d'un tueur « par amour ». Librement inspiré du parcours sanglant de Jeffrey Dahmer, « le cannibale de Milwaukee », ce thriller psychologique à la mécanique implacable dissèque une âme diabolique et nous entraîne au bout de l'enfer.

« Une nouvelle pépite dans le thriller français »
Gérard Collard – Librairie *La Griffe noire*

BOYD MORRISON
UNE AVENTURE DE TYLER LOCKE - TOME 1
L'ARCHE

La brillante archéologue Dilara Kenner mène des fouilles au Pérou lorsqu'elle reçoit des informations cruciales sur la disparition de son père, qui a consacré sa vie à chercher l'arche de Noé. Aux côtés de Tyler Locke, ingénieur de l'armée, elle n'a que sept jours, de Los Angeles à Terre-Neuve, pour retrouver l'arche sacrée.

Amateurs du bon vieux Dr Jones et de thrillers ésotériques à la Dan Brown, ce roman d'aventures est fait pour vous.

« Un thriller percutant, incroyablement réaliste et mené à un train d'enfer. »
James Rollins

DÉJÀ DISPONIBLE

/BragelonneMiladyThriller @BrageThriller www.milady.fr

À DÉCOUVRIR CHEZ MILADY THRILLER

DÉJÀ DISPONIBLE

BOYD MORRISON

UNE AVENTURE DE TYLER LOCKE - TOME 2

LE CODE MIDAS

Désamorcer une bombe cachée sur un ferry bondé: tel est le test diabolique auquel Tyler Locke doit se soumettre s'il veut revoir son père, qui vient d'être kidnappé. Mais l'épreuve ne s'arrête pas là, et Tyler doit se lancer dans une quête improbable: retrouver le trésor du roi Midas. Il ne dispose que d'un seul indice, un manuscrit crypté attribué au grand Archimède. Aux côtés de la linguiste Stacy Benedict, il a moins de cinq jours pour résoudre une énigme vieille de deux mille ans…

«Boyd Morrison transforme tout ce qu'il touche en or.»
Chris Kuzneski

JAMES OSWALD

DE MORT NATURELLE

Tony McLean vient d'être nommé inspecteur. En plus des affaires courantes, il hérite d'un *cold case* dont personne ne veut se charger. Le corps d'une jeune femme crucifiée a été découvert au sous-sol d'une maison abandonnée. Tout porte à croire qu'elle a été victime d'un meurtre rituel. Au siècle dernier. Lorsqu'une série de crimes sanglants s'abat sur la ville d'Édimbourg, McLean et son équipe ne savent plus où donner de la tête. Pour un peu, ils dormiraient à la morgue où le médecin légiste voit les cadavres s'empiler...

«Le nouveau Ian Rankin.»
Daily Record

DÉJÀ DISPONIBLE

/BragelonneMiladyThriller @BrageThriller www.milady.fr

À DÉCOUVRIR CHEZ MILADY THRILLER

DÉJÀ DISPONIBLE

DANA STABENOW

UNE ENQUÊTE DE KATE SHUGAK

LA MÉMOIRE SOUS LA GLACE

Fidèle aux dernières volontés de son oncle, pilier de la communauté aléoute du plus grand parc national d'Alaska, la détective privée Kate Shugak part à la recherche d'un chercheur d'or disparu depuis presque un siècle. Mais quelqu'un est décidé à l'empêcher d'atteindre son but…

Une saga hors du commun pour les fans de Craig Johnson, de Jørn Riel ou d'Olivier Truc.

«Une voix unique au cœur du thriller.»
Michael Connelly

DANA STABENOW

UNE ENQUÊTE DE KATE SHUGAK

EN PLEIN CIEL

DÉJÀ DISPONIBLE

Lorsque Finn Grant, un entrepreneur fortuné de Newenham, meurt dans le crash de son avion, l'agent Liam Campbell s'oriente très vite vers la thèse du sabotage. Le problème, c'est que tout le monde ou presque, dans cette région d'Alaska, avait des comptes à régler avec Grant.
Pour l'aider à confondre le coupable, Liam fait appel à Kate Shugak. Sous couverture, la détective privée s'engage dans une des affaires les plus complexes de sa carrière, au milieu d'une conspiration d'envergure…

Plongez, avec Kate Shugak et son chien loup, au cœur d'étendues sauvages et sans merci.

«Une énergie fulgurante.»
Publishers Weekly

/BragelonneMiladyThriller  @BrageThriller www.milady.fr

Achevé d'imprimer en octobre 2016
Par CPI France
N° d'impression : 3019305
Dépôt légal : novembre 2016
Imprimé en France
81121887-1